Practice in German for the CSE

Practice in German

for the

Certificate of Secondary Education

ALAN COCKBURN, B.A. (Dunelm)
Head of Modern Languages
St Philip Howard High School, Barnham

Illustrated by Martin Henley

HARRAP LONDON

First published in Great Britain 1972
by GEORGE G. HARRAP & CO. LTD
182–184 High Holborn, London WC1V 7AX

Reprinted 1973

Text © *Alan Cockburn* 1972
Illustrations © *George G. Harrap & Co. Ltd* 1972

ISBN 0 245 50900 3

Set in 10 pt. IBM Press Roman, printed by photolithography,
and bound in Great Britain at The Pitman Press, Bath

INTRODUCTION

A lack of suitable material for the Certificate of Secondary Education German examination has meant for me many tedious hours of inventing and typing out passages for use with my own 5th year pupils. As a result I have compiled this book, based on those passages, for the benefit of other teachers in the same position as myself.

Although there is some diversity among the various Regional Examination Boards as to the content of this examination I have included in this book the sections which form the framework of the written examination. One innovation in the book is the section of Multiple Choice Questions. This type of question is used by some C.S.E. Examining Boards and could very well become part of all C.S.E. syllabi in the future.

The book is divided into seven sections, each one dealing with a different type of activity.

Section I contains passages for Aural Comprehension, and has two sets of questions, one German and one English, both of which will be found at the end of the book before the vocabulary section.

Section II provides practice in Written Comprehension. The questions are in German and are to be answered in German.

Section III contains a series of graded passages for practice in Dictation.

Section IV is composed of exercises in various types of free composition based on general subjects and pictures.

Section V is for practice in translation into English.

Section VI contains the passages for the Multiple Choice Questions. Each question has four alternative answers and the pupil must choose one of these as his answer.

Section VII is the Oral section, which has been sub-divided into smaller sections.

6

It is my sincere hope that the material contained in this book will provide valuable assistance to those teachers preparing 5th year pupils.

Yapton, 1971   A.C.

ACKNOWLEDGMENTS

My very grateful thanks to Hans Schmidt, of Munich University, and Heinz Scheich of the Georg-Ackermann Schule, Rai-Breitenbach, for their valuable assistance in every aspect of this book.

CONTENTS

PART I

PASSAGES FOR
AURAL COMPREHENSION

(For questions on the following passages,
see pages 121–130.)

General Notes on Aural Comprehension Tests

The passage is read out by the teacher at a moderate speed. At the
end of the first reading the pupils are allowed to see the questions.
The passage is then read a second time at a moderate speed, and after
this reading the pupils are allowed to make what notes they wish
on scrap paper provided for this purpose. The time allowed for this
varies, but as the test takes 30 minutes from start to finish 10 minutes
is the suggested time. The passage is read for the third and last time
and the pupils answer the questions.

1. The Celebration

Herr und Frau Mach hatten Silberhochzeit, und ihre zwei Töchter
und deren Männer luden sie zu einem Essen in einem berühmten
Restaurant ein. „Hoffentlich ist ein Tisch frei", sagte einer der
Männer, „ich habe ganz vergessen, einen reservieren zu lassen! " Als
sie aber den Raum betraten, waren nur noch zwei Tische frei. Der
eine befand sich in einer dunklen Ecke und der andere in der Mitte
des Raums. „Ich will nicht in der Ecke sitzen", sagte Herr Mach, also
wählten sie den anderen Tisch.

Der Kellner kam mit der Speisekarte. „Haben Sie die Getränke-
karte?"fragte Herr Mach.

„Natürlich! " antwortete der Kellner und gab sie ihm. „Was
möchten Sie alle bestellen?"

„Vier Flaschen Wein! " sagten die Schwiegersöhne. „Bis Sie mit
dem Wein kommen, haben wir alle etwas ausgesucht". Sie wählten
Suppe und Hühnchen mit Pommes Frites, Rosenkohl und Erbsen.

Beim Essen führten sie ein heiteres Gespräch. „Das hat aber geschmeckt!" sagte das Elternpaar, und Herr Mach rieb seinen vollen Bauch. Sie leerten ihre Weingläser, und nachdem sie ihren Kaffee getrunken hatten, bezahlten die beiden Schwiegersöhne. Dann verließen sie das Restaurant.

„Wir fahren noch nicht heim", sagten die Töchter, „wir haben noch eine Überraschung für euch. Wir gehen in ein Nachtlokal".

Das Elternpaar war sehr zufrieden mit dem Programm. „Die Tänzerinnen sind sehr hübsch, nicht wahr?" sagte Herr Mach und grinste.

„Aber mir gefällt der blonde Sänger", antwortete Frau Mach, und sie lachten beide. Es war ein unvergeßlicher Abend.

2. *A Likely Story!*

Zwei junge Brüder eilten durch die Hintertür ins Haus. Sie waren völlig durchnäßt und verschmutzt. Ihre Mutter sah sie mit großen Augen an und fragte:

„Was habt ihr denn gemacht? Wo seid ihr gewesen?"

Wilhelm, der ältere Bruder, erzählte ihr die folgende Geschichte:

Als wir durch den Wald gingen, sah Johann, wie ein Vögelchen aus seinem Nest fiel. Wir rannten beide, um es zu fangen, aber beim Laufen fiel ich über einen Ast in eine Pfütze. Das Vögelchen landete am Boden und hüpfte dann zum steilen Flußufer. Johann jagte es, aber es hatte so viel Angst, daß es ins Wasser sprang. Johann beugte sich nach vorne und versuchte, es zu erreichen, während ich ihn an den Beinen festhielt. Aber ich war nicht stark genug, und seine Beine glitten durch meine Hände. Plumps! fiel er ins Wasser. Zum Glück war es nicht tief. Er stand im Wasser auf und sagte zornig:

„Du hast mich absichtlich hereinfallen lassen!"

Ich versuchte, ihm herauszuhelfen, aber er zog mich hinein! Da standen wir einen Augenblick und starrten uns an, dann fingen wir zu lachen an. Wir kletterten zurück ans Ufer und setzten das Vögelchen dort ab. Dann rannten wir nach Hause.

Ihre Mutter lächelte, und weil sie die Geschichte so gut ausgedacht hatten, war sie ihnen nicht böse.

„Das war eine sehr interessante Geschichte", sagte sie. „Ihr könnt mir die Wahrheit später erzählen. Aber zieht jetzt die schmutzige Kleidung aus, hängt sie zum Trocknen auf und badet euch!"

3. The Forgetful Boy

Frau Brandt hatte viel zu tun. Sie mußte noch ihre Hausarbeit und das Mittagessen machen, deshalb rief sie ihrem Sohn Johann zu, der im Garten spielte:

„Johann, komm bitte mal her!"

Als er gekommen war, sagte sie: „Geh in die Stadt und hole mir Kuchen beim Bäcker, und bringe auch vom Metzger 500 Gramm Fleisch".

„Jawohl", erwiderte Johann, nahm das Geld und machte sich auf den Weg.

Unterwegs traf er die Geschwister Braun, die auch einkaufen gingen.

„Guten Tag, Johann", rief Peter Braun. „Mein Vater hat mir zum Geburtstag ein Fahrrad geschenkt!"

„Prima", rief Johann, „welche Farbe hat es?"

Aber bevor Peter antworten konnte, sagte seine Schwester Renate neidisch: „Mein Fahrrad ist alt und sehr rostig, aber es macht mir nichts".

Sie erreichten den Gemüseladen und gingen alle hinein. Als sie aber herauskamen, hatte Johann vergessen, was er kaufen sollte.

„Auf Wiedersehen", sagten die Brauns, „wir wollen jetzt ins Schwimmbad gehen".

Als Johann die Straße entlang ging, versuchte er sich an die Worte seiner Mutter zu erinnern. Dann sagte er plötzlich „Kuchen!" und suchte das Geschäft. Es war neben der Bibliothek auf der anderen Straßenseite. Er kaufte die Kuchen und rannte so schnell er konnte nach Hause.

Als er in die Küche kam, sagte seine Mutter:

„Vielen Dank, du bist ein guter . . . aber wo ist das Fleisch? Du hast es vergessen, nicht wahr?"

„Oje", stöhnte Johann und ging langsam aus dem Haus in die Stadt zurück.

4. The New Motorbike

Karl war sehr stolz auf sein neues Motorrad. Sein Vater hatte es ihm zum Geburtstag geschenkt, und er hatte sich entschlossen, zum Schloß zu fahren, das in der Nähe eines Flusses lag. Als er die Straße entlang fuhr, sah er seine Freundin Annette. Er hielt an und sagte:

„Dies ist mein neues Motorrad! Ich fahre zum großen Schloß. Willst du mitkommen?"

„Ja, gerne", antwortete Annette, „ich bin noch nie im Schloß gewesen".

Sie bestieg das Motorrad, und sie machten sich auf den Weg.

Zuerst konnten sie das Schloß nicht sehen, weil es hinter Hügeln versteckt war, aber als sie dann den höchsten Punkt der Landstraße erreichten, sahen sie es in der Ferne. Jetzt ginges ziemlich steil bergab, weil sie in das Tal hinabfuhren, und das Motorrad fuhr immer schneller.

„Fahre doch langsamer", bat ihm Annette.

„Hab keine Angst", rief ihr Freund.

Am Fuße des Hügels aber war eine gefährliche Kurve. Karl bremste, doch sie fuhren zu schnell. Das Motorrad kam von der Straße ab und fuhr gegen einen Kilometerstein!

Die beiden flogen über eine Hecke in den Fluß, aber sie blieben unverletzt, weil das Wasser ziemlich tief war. Sie schwammen zum Ufer, kletterten aus dem Wasser und schauten durch die Hecke auf das Motorrad. Es lag auf der Seite, und sie sahen, wie das Benzin auf die Straße floß. Karl war ziemlich erschrocken und hatte große Angst: Was würde sein Vater dazu sagen?

5. *Anxiety in the Tube*

Es war am Freitag um halb fünf. Alle die Berliner U-Bahnstationen waren überfüllt. Es herrschte eine Hitzewelle, und die meisten Büroarbeiter hatten einen unangenehmen Tag hinter sich. Jetzt standen sie dicht gedrängt wie in einer Sardinenbüchse in den Wagen. Alle schwitzten, und die Luft war unerträglich.

Plötzlich gingen alle Lichter aus, und der Zug hielt. Eine Zeitlang warteten die Fahrgäste, dann wurden sie ein bißchen unruhig. Niemand sprach, nur ihr Atmen war zu hören. Es war stockfinster. Einige zündeten Streichhölzer an, um sehen zu können. Es wurde immer heißer in den Wagen, die in den Tunnels standen, wo kein Lüftchen sich regte. In einem Abteil begannen einige eine Unterhaltung.

„Was ist denn los?"

„Warum halten wir hier?"

„Mir ist so heiß."

So ging es weiter. Aus einem anderen Wagen ertönte Gesang. Sehr bald war der Lärm in der U-Bahn so groß, daß viele Leute Angst bekamen. Ein kleines Mädchen begann zu weinen:

„Mutti! Mutti!" schrie es erschreckt, aber ihre Mutter war zu Hause. Nur in einem Wagen war keine Panik. Hier saß eine Gruppe von Blinden.

Erst vierzig Minuten später gingen die Lichter wieder an, und der Zug setzte sich in Bewegung. Jeder atmete auf und mußte blinzeln, weil das Licht so hell war. An der nächsten Station, der letzten, stiegen alle aus, schweißüberströmt. Trotz der Hitze freute sich jeder, das Tageslicht wieder zu sehen.

6. *The Picnic*

Weil die Sommerferien schon zwei Wochen früher begonnen hatten, waren die Geschwister Huber daheim und langweilten sich schrecklich, da sie nichts zu tun hatten. So entschlossen sich ihre Eltern zu einem Picknick in den Bergen südlich der Stadt, in der sie wohnten.

Es war ein prächtiger Sommertag, und als sie dort ankamen, parkten sie das Auto am Straßenrand.

„Gehen wir zuerst auf jenen kleinen Hügel da drüben", schlug Manfred vor.

„Ich werde hier bleiben", antwortete seine Mutter, „aber ihr könnt gehen".

„Du Feigling", lachte Herr Huber. „Kommt, Kinder. Gehen wir!"

Fröhlich kletterten sie auf den Gipfel. Oben fanden sie einige Büsche, die den Wind abhielten, und wo sie niemand sehen konnte.

„Ich werde Mutti holen", beschloß Manfred und ging fort.

„Vergiß den Picknickkorb nicht!" rief Herr Huber, als sein Sohn eilig den Hügel hinablief.

Sobald sie alle wieder zusammen waren, packte Frau Huber den Picknickkorb aus, und holte Kuchen, belegte Brote, Obst und die mit Kaffee gefüllten Thermosflaschen heraus. Dann legte sie alles auf die Teller, die sie auf ein Tischtuch gestellt hatte.

„Das sieht lecker aus", rief Uschi und leckte sich dabei die Lippen. Sie setzten sich nieder, und gerade als sie zu essen beginnen wollten, sprang Herr Huber auf.

„Was war das?" fragte er und streifte ein kleines schwarzes Insekt von seiner Hose ab. Dann schrie auch Uschi, ihre Beine festhaltend. Die Insekten waren überall! Frau Huber räumte schnell alles zusammen und stellte es in den Korb zurück, dann rannten sie bergab zum Auto.

„Ich habe euch gesagt", sagte Frau Huber, als sie das Auto erreichten, „hier ist die beste Stelle für ein Picknick!"

7. *It served him right*

Hans lag im Bett und träumte glücklich. Plötzlich rasselte sein Wecker, weil es schon halb acht war. Verschlafen stellte er ihn ab und kroch müde aus dem Bett ins Badezimmer. Hier wusch er sich schnell, putzte seine Zähne und zog sich an.

„Hans", rief seine Mutter, „beeile dich, dein Frühstück ist bereit". Er rannte deshalb schnell die Treppe hinunter in die Küche.

„Guten Morgen, Mutti", sagte er, „wir spielen heute nachmittag Fußball. Wie ist der Wetterbericht? " fragte er und sah zum Fenster hinaus.

„Es soll später regnen", antwortete sie, „obwohl jetzt noch die Sonne scheint und der Himmel blau ist. Nimm deinen Regenmantel mit".

„Nein", sagte er, „ich will ihn nicht herumschleppen, das ist zu umständlich".

Er beendete sein Frühstück, sagte ‚Auf Wiedersehen' und lief auf die Straße. Er sah seine Freunde vor dem Kiosk stehen, der hundert Meter entfernt war.

„Hallo!" rief er, „Wartet auf mich!"

Sie warteten, und er hatte sie bald eingeholt. Dann sah er erstaunt, daß sie alle Plastikregenmäntel mithatten. Er lachte sie aus.

„Ihr braucht keinen Regenmantel heute", sagte er, aber spürte plötzlich einige Regentropfen auf seiner Stirn. Er schaute zum Himmel und sah mehrere schwarze Wolken.

„Oje!" sagte er, dann begann es heftig zu gießen. Seine Freunde zogen schnell ihre Regenmäntel an, aber bevor sie die Schule erreichten, war Hans bis auf die Haut naß.

Zu Hause hörte seine Mutter den Regen und lächelte.

„Das geschieht dir recht, mein Sohn", sagte sie zu sich, „du dummer Junge".

8. *The Absent-minded Man*

Herr Roland war sehr zerstreut, aber er hatte eine sehr geduldige Frau, die sehr gut auf ihn aufpaßte. Eines Tages mußte sie jedoch wegen einer Magenerkränkung ins Krankenhaus, daher schrieb sie ihrer Schwester Hilda und bat sie, bei ihrem Mann zu bleiben, bis sie wiederkäme. Hilda sollte um halb fünf mit dem Zug aus Wilhelmshaven einer Stadt an der Nordsee, ankommen.

Zwanzig Minuten vor ihrer Ankunft saß Herr Roland noch zu Hause im Sessel und las die Zeitung. Plötzlich stand er auf, griff nach seinem Regenschirm und eilte aus dem Haus.

„Hilda kommt, und ich habe es beinahe vergessen", sagte er zu sich. Er fuhr mit dem Taxi zur Bushaltestelle und wartete auf einer Bank im Warteraum.

Er wurde sehr unruhig darüber, daß sie nicht angekommen war. Er sah auf seine Uhr — sie war auf viertel vor vier stehengeblieben! Zum zweiten Male an diesem Nachmittag stand er schnell auf und schaute auf die Uhr im Warteraum. Diesmal aber erinnerte er sich daran, daß sie doch mit dem Zug kommen wollte! Er eilte zu einem anderen Taxi, und als er dann am Bahnhof ankam, regnete es. Aber er hatte seinen Schirm an der Bushaltestelle vergessen!

Hilda war nicht am Bahnhof, also nahm er sich nochmals ein Taxi, holte seinen Schirm unterwegs und fuhr nach Hause. Hilda war schon da! Sie saß in dem Sessel und schlief. Frau Roland hatte ihr einen Schlüssel geschickt, denn sie wußte, wie zerstreut ihr Mann war!

9. Caught at the Customs

Nach einer dreistündigen Fahrt über den Kanal legte der Dampfer am Kai von Dover an. Zwei Männer, die beide Lederkoffer trugen, mengten sich unter die zahlreichen Gruppen von Schulkindern. Bevor sie beim Zoll ankamen, sagte der kleinere Mann, der einen blauen Anzug anhatte:

„Jetzt trennen wir uns. Ich gehe mit jener großen Gruppe von Erwachsenen. Schließ dich an die Gruppe an, die eben durch den Zoll geht".

Sein Freund nickte ihm zu und ging zum Ende der Schlange.

Als er an der Reihe war, fragte der Zollbeamte:

„Haben Sie etwas zu verzollen?"

„Nein", antwortete der Mann nervös.

„In Ordnung, Sie können gehen", sagte der Beamte und machte ein wießes Kreidezeichen auf seinen Koffer. Der Mann eilte zum Ende der Zollhalle und wartete auf seinen Freund.

Als sein Freund endlich seinen Koffer auf den Tisch legte, sah der Beamte ihn an, dann sagte er:

„Öffnen Sie bitte Ihren Koffer".

„Gerne", antwortete der Mann und versuchte dabei zu lächeln. Es war nur schmutzige Wäsche zu sehen. Der Beamte war aber noch nicht zufrieden. Er versuchte, den Koffer zu heben, aber er war zu schwer. Dann sagte er plötzlich:

„Folgen Sie mir!"

Der Mann seufzte und folgte ihm in einen kleinen Raum. Dort wurde sein Koffer durchsucht. In dem falschen Boden waren zweihundert goldene Schweizer Uhren und einige Halsketten! Als der Mann aber in den Raum verschwunden war, war sein Freund hastig aus der Halle gegangen.

10. *Return to Earth*

Die letzten drei Tage saßen die Astronauten in ihrem Raumschiff, sprachen mit der Bodenkontrollstation, beschrieben alles, was sie sahen, und schliefen. Sie waren sehr glücklich, weil sie die ersten Menschen waren, die auf dem Mond spazieren gegangen waren. Dort hatten sie mit einer Kamera Aufnahmen gemacht und Steine von der Mondfläche gesammelt. Auch hatten sie die Reste zweier früherer Raketen gefunden, einer amerikanischen und einer russischen.

Nun freuten sie sich darauf, die Erdatmosphäre in einer Stunde zu erreichen. Schon flogen sie viel schneller, als sie sich der Erde näherten, und sie bereiteten sich auf diesen letzten Teil ihrer Reise vor. Als sie zehn Minuten später aus dem Fenster blickten, sahen sie unter sich Wolken und eine riesige Wasserfläche — den Pazifischen Ozean. Sie lachten und schüttelten einander die Hände.

Das Wetter war aber stürmisch, und als sie im Meer landeten, schaukelte die Kapsel auf den Wellen wie ein Korken. Einer der Männer war seekrank. Ein Hubschrauber entdeckte sie bald und wartete über ihnen, bis das Rettungsschiff sie erreicht hatte. Bald erschien ein zweiter Hubschrauber mit vier Froschmännern, die ins Wasser sprangen, um den Männern aus ihrer Kapsel und ins Netz zu helfen. Dann wurde auch die Kapsel an Bord des Schiffes gezogen, und die Reise war glücklich beendet.

11. *Money Problems*

Peter hatte vereinbart, sich mit seiner Freundin Annette um fünf Uhr vor dem Café zu treffen, denn sie wollten ins Kino gehen. Er war pünktlich, aber Annette kam erst fünfzehn Minuten später.

„Bitte um Entschuldigung", sagte sie, als sie ihn begrüßte.

„Das macht nichts", antwortete Peter, „aber nächstes Mal . . .", dann lachte er, denn Annette hatte immer Verspätung.

Sie betraten das Café. „Zweimal Kaffee", sagte Peter zur Kellnerin. „Und zwei Stück Erdbeertorte mit Schlagsahne!" fügte Annette hinzu.

Sie plauderten glücklich, dann schaute Peter auf die Uhr und sagte:

„Wir haben noch Zeit, es ist erst dreiviertel fünf. Gehen wir zum Jahrmarkt!"

Da fuhren sie mit dem Autoscooter, und an der Schießbude gewann Peter sechs Weingläser für seine Mutter.

Um halb sieben gingen sie. Als sie aber vor dem Kino ankamen, standen schon viele Leute Schlange, und sie mußten lange warten.

„Wo sollen wir sitzen?" fragte Annette.

„In der hinteren Reihe auf dem Balkon", antwortete Peter, „wie immer!"

Als sie am Schalter waren, kaufte er die Karten, aber als er bezahlen wollte, hatte er nicht genug Geld bei sich. Er leerte seine Taschen, fand aber nichts.

„Hier", sagte Annette und reichte ihm den Rest des Geldes.

„Danke", sagte Peter, der ganz rot geworden war.

Sie gingen hinein, stiegen die Treppe hinauf und suchten ihren Platz. Die Vorstellung hatte bereits begonnen.

12. *A Camping Weekend Ruined*

Während der Sommerferien wollten die vier Jungen an einem Wochenende an einem See im Schwarzwald zelten. Früh am Morgen trafen sie sich, um zu entscheiden, was sie mitnehmen sollten.

„Da wir die älteren sind", sagte Kurt, „werden Helmut und ich das Zelt, den Kocher und die Eßwaren mitnehmen, und ihr, Friedrich und Axel, die Bestecke und die Töpfe".

Sie nahmen den Bus, und drei Stunden später waren sie am See angekommen. Sie fanden eine ruhige Wiese am Ufer des Sees, wo sie das Zelt aufschlugen. Plötzlich sah Axel auf seine Uhr.

„Es ist schon halb drei. Essen wir!"

Sie aßen und dann verbrachten sie den schönen Nachmittag mit Schwimmen im See und Fußballspielen. Am Abend liefen sie zwei Kilometer zum nächsten Gasthof, um dort Bier zu trinken. Um Mitternacht schliefen alle.

Mitten in der Nacht wachte Friedrich auf, als er den Regen auf das Zelt tropfen hörte. Bald waren sie alle wach.

„Guck mal! Es fließt Wasser ins Zelt!" rief Helmut. „Was sollen wir denn machen?"

Sie versuchten es mit Steinen und Erde aufzuhalten, aber es wurde immer schlimmer.

„Wir müssen alles hinaustragen", sagte Kurt, und sie waren gerade dabei, als das Zelt zusammenfiel.

Sehr enttäuscht und unglücklich trugen sie alles in den Wald, wo es unter den Bäumen trockner war. Morgens regnete es immer noch, deshalb sagte Kurt:

„Fahren wir doch heim, nicht?" Sie stimmten alle zu und fuhren mit dem ersten Bus nach Hause.

13. *In a Hurry*

Robert rannte schnell aus seinem Büro in der Innenstadt, blieb am Rand des Bürgersteiges stehen und rief: „Taxi!"

Eines hielt an, er sprang hinein und sagte zum Taxifahrer:„ Zum Bahnhof bitte, mein Zug fährt in fünfzehn Minuten ab!"

Das Taxi eilte durch die belebten Straßen. Der Verkehr war sehr stark, denn es war Freitagabend, und jeder ging früh nach Hause.

Beim Bahnhof sprang Robert aus dem Taxi: „Vielen Dank", sagte er, indem er den Fahrer bezahlte, dann rannte er zum Bahnsteig und stieg hastig in den Zug ein, der eben abfuhr. Es war genau halb fünf.

Da dieser überfüllt war, mußte er im Gang stehen. Er nahm seine Zeitung heraus und versuchte, sie zu lesen. Da aber der Gang so voll war und der Wagen schaukelte, steckte er sie wieder in seine Aktentasche.

An der ersten Haltestelle stiegen mehrere Leute aus, aber bevor er im Abteil einen leeren Sitz erreichen konnte, hatte ihn ein anderer Fahrgast schon besetzt. Dauernd gingen Leute an ihm vorbei und drückten ihn an das Fenster, und er war froh, als er eine Dreiviertelstunde später seine Haltestelle erreichte. Er stieg aus, und fünfzehn Minuten später stand er vor seiner Haustür. Erst dann merkte er, daß er in der Eile seine Schlüssel im Büro vergessen hatte.

14. *At the Youth Club*

Jeden Freitagabend trafen sich Hans und seine Freunde im Jugendklub, weil es ihnen dort immer sehr gut gefiel. Gewöhnlich spielten sie Tischtennis, oder sie tanzten, besonders wenn ihre Freundinnen da waren. Aber diesen Freitag verbrachten die Mädchen zwei Tage an der See, deshalb spielten die Jungen in der großen Halle Fußball.

Einige Mädchen tanzten nach Schallplatten in einer Ecke, als der Jugendleiter, Herr Maier, aus seinem Büro kam.

„Hans!" rief er, „komm bitte mal her". Als Hans sich umdrehte, wurde der Ball gerade in dem Augenblick ihm zugeschossen.

„Vorsicht, Hans!" rief der Leiter, aber die Warnung kam zu spät! Der Ball traf Hans am Kopf und flog dann in eine Fensterscheibe!

Glasscherben flogen überall hin, und ein Stück fiel auf den Plattenspieler. Die Musik hörte sofort auf! Eines der Mädchen hielt sich die Stirn.

„Herr Maier!" rief ihre Freundin, „Renate ist verletzt worden. Sie blutet!"

Der Jugendleiter eilte zu ihr hinüber und brachte sie in den kleinen Raum hinter der Halle, um ihr ein Pflaster zu geben.

Der Junge, der den Ball geschossen hatte, holte einen Handfeger und eine Schaufel, und kehrte die Scherben zusammen. Jetzt sprachen sie alle sehr aufgeregt und halfen dem Jungen, die Glasstücke zu finden, die auf die andere Seite des Raums geflogen waren. Bald war alles wieder in Ordnung. Die Jungen spielten weiter, und die Mädchen tanzten, bis es Zeit war, heimzugehen.

15. *An Unfortunate Lift*

Es war Dorothea Hauptmanns erster Arbeitstag. Sie hatte die Schule vor drei Wochen verlassen und war inzwischen auf dem Bauernhof ihres Onkels gewesen. Beim Frühstück sagte ihr Vater:

„Ich werde dich heute morgen zur Arbeit fahren, da du so aufgeregt bist".

„Vielen Dank, Vati", antwortete Dorothea und ging ins Vorzimmer, um sich ihren Mantel zu holen.

Das Wetter war scheußlich; während der Nacht hatte es geschneit, und alles war gefroren. Herr Hauptmann fuhr sehr vorsichtig die Straßen entlang, die schon mit Salz gestreut waren. Als er die Hauptstraße erreichte, wo Dorotheas Büro war, bremste er vorsichtig, aber ohne Wirkung. Das Auto rutschte zur Seite, stieß an einen Laternenpfahl und kam erst vor einem Schaufenster zum Stehen. Unglücklicherweise stand ein Polizist auf der anderen Straßenseite. Er kam herüber und nahm sein Notizbuch heraus.

„Sie haben Pech gehabt", sagte er, „aber es war ein Unfall, deshalb muß ich es aufnehmen".

Er notierte die Einzelheiten und erlaubte dann Herrn Hauptmann weiterzufahren. Dorothea stieg aus, und ihr Vater fuhr noch vorsichtiger und langsamer als bisher zu seiner Fabrik.

Am Abend war seine Frau nicht sehr begeistert, als sie die Geschichte hörte. Es war ihr Wagen, und ihr Mann fuhr ihn nur, weil sein eigenes Auto gerade zur Reparatur in der Werkstatt war! Vor zwei Tagen war sie mit seinem Wagen gegen einen Torpfosten gefahren!

PART II

PASSAGES FOR
WRITTEN COMPREHENSION

General Notes

Written Comprehension is a test of understanding and expression, and marks are awarded for the required information as well as for correct grammatical construction.

Full sentence answers are normally expected, but some Regional Boards accept answers beginning with *weil* or *denn*.

Wherever possible pupils should be encouraged not to 'lift' answers from the text but to use their own words. Attention must also be paid to the tense of the verb in the question, since this is invariably the tense that should be used in the answer.

1. A Climbing Accident (i)

Während der Osterferien saß Robert im Lehnstuhl und telefonierte mit seinem Freund Karl.

„Was sollen wir morgen machen?" fragte er.

„Warum gehen wir nicht auf einen Tag in die Berge?" schlug sein Freund vor.

Robert dachte einen Augenblick lang nach, dann sagte er: „Das ist eine sagenhafte Idee! Wann treffen wir uns?"

„Um neun Uhr vor dem Rathaus", antwortete Karl.

„Bis morgen dann", erwiderte Robert und legte den Hörer auf.

Am nächsten Morgen trafen sie sich zur festgesetzten Zeit. Sie trugen warme Pullover, weil es dort auf dem Berg viel kälter sein würde. Sie hatten eine zweistündige Busfahrt, und weil die Berge im Winter sehr beliebt sind, war der Bus sehr voll. Als sie am Ziel ankamen, stiegen sie schnell aus und begannen ihre Wanderung. Es gab keinen Schnee, aber als sie höher kamen, mußten sie wegen des Eises langsamer gehen. Bald erreichten sie die Schneefelder, und weil der Weg sehr eng und eisig war, ging Robert voraus.

„Wie schön alles hier aussieht", sagte er, aber bevor Karl antworten konnte, fiel er mit einem Schrei Hals über Kopf hin und rutschte zwischen zwei Felswände!

1. Wo war Robert?
2. Warum rief er Karl an?
3. Was beschlossen sie zu tun?
4. Wo sollten sie sich treffen?
5. Warum trugen sie warme Pullover?
6. Wie erreichten sie den Berg?
7. Was machten sie, als sie ankamen?
8. Warum mußten sie langsamer gehen?
9. Wie wurde der Weg?
10. Warum antwortete Karl nicht?

2. *A Climbing Accident* (*ii*)

Robert kletterte hinunter zu seinem Freund, von dem nur die Arme sichtbar waren.

„Was ist denn los?" fragte Robert.

Karl sagte nichts, schrie aber laut vor Schmerz, als Robert ihm aufhelfen wollte.

„Mein linkes Bein tut mir so weh", stöhnte er, „laß mich hier einen Moment liegen".

Robert nahm seinen Rucksack ab und legte ihn unter Karls Kopf.

„Ich will Hilfe holen", sagte er, und rannte schnell den Berg hinunter zur Straße.

Als er die Straße erreichte, blieb er stehen und wartete auf ein vorbeikommendes Auto. Es kam eines, und er stieg ein.

„Bitte, fahren Sie mich zum nächsten Telefon. Mein Freund liegt oben und hat vielleicht das Bein gebrochen".

Sobald er in der Telefonzelle war, rief er das Krankenhaus an und erklärte alles, was geschehen war. Dann kehrte er zu seinem Freund zurück. Als er ihn erreichte, war die Bergrettung schon da. Karl hatte tatsächlich das Bein gebrochen, daher wurde er auf eine Krankenbahre gelegt und zum Krankenwagen getragen, der am Fuß des Berges wartete, und innerhalb einer Stunde standen seine Eltern vor seinem Bett im Krankenhaus — Robert hatte sie von dort aus angerufen.

Karl mußte drei Wochen im Krankenhaus bleiben, und als er wieder zu Hause war, dauerte es noch zwei Wochen, bis er wieder gehen durfte. Es brauchte noch länger, bis er wieder auf den Berg stieg!

1. Warum schrie Karl laut vor Schmerz?
2. Was versuchte Robert zu tun?
3. Warum nahm Robert seinen Rucksack ab?
4. Warum mußte er warten, als er die Straße erreichte?
5. Warum fuhr er zum nächsten Telefon?
6. Wie wurde Karl zum Krankenwagen gebracht?
7. Wo war der Krankenwagen?
8. Wo war Robert, als er Karls Eltern anrief?
9. Wie lange dauerte es, bevor Karl wieder gehen durfte?
10. Was macht die Bergrettung?

3. *A Day at the Zoo (i)*

Die beiden Kinder, Wolfgang und Ulrich, schliefen in dieser Nacht unruhig — heute sollten sie zum ersten Mal in den Zoo gehen. Sie standen früher als gewöhnlich auf und waren mit dem Frühstück fertig, bevor noch ihr Vater im Eßzimmer erschien. Mutti machte belegte Brote, denn sie wollten den ganzen Tag im Zoo verbringen, der auch einen See zum Bootfahren und einen Kinderspielplatz hatte. Um neun Uhr waren sie alle fertig, und Vater holte das Auto aus der Garage.

„Macht schnell!" rief er, „sonst kommen wir zu spät an".

Sie stiegen alle ein und schon waren sie auf dem Weg.

Nach zwei Stunden waren sie dort.

„Ihr Kinder bleibt einen Augenblick im Auto sitzen", sagte der Vater, „ich muß einen Parkplatz finden".

Dies war schwierig, denn so viele hatten den gleichen Gedanken gehabt. Das Wetter war so herrlich, daß anscheinend alle aus der Umgebung im Zoo waren. Endlich fanden sie einen Platz. Die Kinder sprangen aus dem Auto und rannten zum Zooeingang. Als sie vor dem Eingang standen, sagte Wolfgang:

„Es gibt soviel zu sehen! Wohin gehen wir zuerst?"

„Ich will zunächst die Löwen sehen", antwortete sein siebenjähriger Bruder.

1. Warum schliefen die Kinder unruhig?
2. Frühstückten sie mit dem Vater?
3. Wie lange wollten sie im Zoo bleiben?
4. Wo konnten die Kinder im Zoo spielen?
5. Was mußte der Vater um neun Uhr machen?
6. Wie lange dauerte die Fahrt?

7. Warum stiegen sie nicht sofort aus?
8. Warum waren so viele Leute im Zoo?
9. Warum wußten die Kinder nicht, wo sie beginnen sollten?
10. Wohin gingen sie zuerst?

4. A Day at the Zoo (ii)

Die Löwen aber waren nicht zu sehen, und die Kinder waren sehr enttäuscht.

„Wo sind sie, Vati?" fragte Wolfgang.

„Das Wetter ist so heiß, daß sie alle im Innern ihrer Höhlen schlafen", erklärte sein Vater.

Die Giraffen jedoch, die nebenan waren, schliefen keineswegs. Mit ihren langen Hälsen versuchten sie das Futter zu erreichen, das ihnen die Besucher hinhielten.

„Wolfgang", sagte Vati, „setz dich auf meine Schultern, dann wirst du die Tiere besser füttern können".

„Ulrich! Wo bist du?" sagte Mutti.

Keine Antwort. Er war verschwunden. Sein Vater rief nach ihm, und Wolfgang stand hoch auf dessen Schultern, um besser zu sehen.

„Dort ist er!" rief er, „nahe bei den Tigern".

Sie erreichten ihn, gerade als ein Tiger brüllend gegen den Käfig rannte. Ulrich sprang erschrocken zurück, und während des ganzen Zooausfluges ging er nicht mehr so nahe an die Tiere heran!

„Mutti", sagte Wolfgang, „ich bin so hungrig. Können wir nicht essen?"

„Ja, gerne", antwortete Mutti, „ich habe auch Hunger, gehen wir zum Auto zurück".

Sie brachte den Picknickkorb aus dem Kofferraum und fand eine freie Stelle am Rande des Sees. Nach dem Mittagessen sagte Vati:

„Ich will ein Boot mieten. Kommt ihr auch mit?"

„Natürlich!" riefen die Jungen, und sie verbrachten eine schöne Stunde in einem Ruderboot. Später spielten die Buben, als ihre Eltern im Gras schliefen. Aber um sechs Uhr war es Zeit, heimzufahren.

„Alles einsteigen!" rief Vati. Sie fuhren sofort ab, und während der Fahrt schliefen die Jungen. Sie hatten einen sehr anstrengenden Tag hinter sich!

1. Warum konnten sie die Löwen nicht sehen?
2. Wie konnten die Giraffen das Futter erreichen?
3. Wer hielt das Futter hin?

4. Warum setzte sich Wolfgang auf die Schultern seines Vaters?
5. Warum hatte Ulrich Angst?
6. Warum gingen sie alle zum Auto zurück?
7. Wo aßen sie zum Mittag?
8. Was wollte der Vater nach dem Mittagessen machen?
9. Was machten die Eltern, während die Jungen spielten?
10. Warum schliefen die Jungen während der Fahrt nach Hause?

5. *Two Holidays* (*i*)

Es war der erste Tag nach Herrn Schmidts Ferien. Er kam fünf Minuten früher als gewöhnlich in sein Büro in der Mitte von Köln, zog seinen Mantel aus und ging in die Garderobe, um ihn dort aufzuhängen. Gerade als er herauskommen wollte, traf er Herrn Braun, der auch im Urlaub gewesen war.

„Hatten Sie einen schönen Urlaub?", fragte Herr Braun.

„Ja, wir waren in Wien", antwortete Herr Schmidt, „und wo waren Sie?"

„Oh, ich war mit meiner Frau zwei Wochen im Schwarzwald. Das Wetter war herrlich, aber wir hatten zwei heftige Gewitter, beide während der Nacht. Meine Frau hatte so große Angst, daß sie ihren Kopf unter das Kissen steckte, aber ich stand am Fenster und beobachtete die Blitze. Es war ein wunderbarer Anblick. Wir hatten unser Auto mit, daher waren wir in der Lage, alle sehenswerten Orte zu besuchen. Die Landschaft war einfach herrlich, überall dunkelgrüne Nadelbäume. Wir segelten auf dem Titisee, einem sehr beliebten See, der von Bäumen und Bergen umgeben ist. Dort badeten wir mehrmals, und an einem Tag fuhren wir mit dem Bus nach Schaffhausen, wo wir den Rheinfall gesehen haben. Wissen Sie, bald werden Schiffe von der Nordsee bis zu diesem Wasserfall fahren können? Aber ich erzähle zu viel".

Er sah auf seine Uhr.

„Ich glaube, wir haben noch Zeit – der Direktor ist heute nicht hier! Bitte, erzählen Sie mir doch etwas von Ihrem Urlaub".

1. Warum ging Herr Schmidt in die Garderobe?
2. Wo arbeitete er?
3. Wo hatte Herr Schmidt seine Ferien verbracht?
4. Wen traf er in der Garderobe?
5. Wo war Herr Braun gewesen?
6. Was machte Frau Braun während der beiden Gewitter?

7. Wie besuchten sie die sehenswerten Orte?
8. Was machten sie am Titisee?
9. Was sahen sie in Schaffhausen?
10. Warum hatten die Männer noch Zeit, zu plaudern?

6. *Two Holidays* (*ii*)

„Gerne", antwortete Herr Schmidt, „wir verbrachten vierzehn Tage in Wien. Ich war vor fünf Jahren dort, als ich noch nicht verheiratet war. Von Köln fährt man zwölf Stunden mit dem Zug direkt nach Wien. Die Landschaft ist sehr hübsch, und nachts hatten wir Schlafwagen. Deshalb langweilten wir uns nicht. Als wir ankamen, packten wir alles aus und machten einen kleinen Spaziergang in der Nähe des Hotels. Wir besuchten auch viele Sehenswürdigkeiten, aber die meiste Zeit verbrachten wir mit Schwimmen und Sonnenbaden am Badestrand der Alten Donau.

„Abends waren wir in verschiedenen Cafés oder gingen in die Konzerte im Freien vor dem Rathaus. Wir haben auch einige englische Touristen getroffen und am letzten Abend gingen wir alle zusammen nach Grinzing aus, einem Vorort von Wien. Dort gibt es viele Weingärten, wo man den neuen Wein, den sogenannten Heurigen, trinken kann, der aus den Trauben des Vorjahrs gemacht wird. Wir merkten nicht, wie stark dieser Wein war, und hatten die ganze Rückfahrt bis Köln Kopfschmerzen! Aber schauen Sie doch auf die Uhr, es ist viertel nach acht! Wir sollten jetzt gehen".

So gingen sie weiter, noch immer über ihren Urlaub sprechend.

1. War es Herrn Schmidts erster Besuch in Wien?
2. Ging er diesmal allein?
3. Wie lange dauerte die Zugreise nach Wien?
4. Warum langweilten sie sich während der Reise nicht?
5. Aßen sie, sobald sie ankamen?
6. Was machten sie am Tage?
7. Mit wem verbrachten sie den letzten Abend?
8. Was ist Grinzing?
9. Warum hatten die Schmidts Kopfschmerzen bei der Rückfahrt?
10. Warum plauderten die Männer nicht weiter?

7. *Meeting at Midnight* (*i*)

Im neunzehnten Jahrhundert gingen die meisten Kinder noch nicht zur Schule, da sie in den Fabriken arbeiten mußten. Sie arbeiteten sehr lange, manchmal 15 Stunden am Tage und waren deshalb am Abend oft zu müde, um noch zu spielen, wie es die Kinder heute tun. In einer kleinen Industriestadt in Norddeutschland jedoch gab es eine Gruppe von Kindern, die nahe genug beieinander wohnten, um sich sehr oft treffen zu können, und einmal in der Woche gingen sie kurz vor Mitternacht, wenn ihre Eltern schon im Bett waren, zu einer alten Burgruine.

Um die Burg zu erreichen, verließ jedes Kind lautlos sein Schlafzimmer durch das Fenster und kroch leise die schmutzigen Straßen und Gassen entlang. Es waren zwölf Jungen und ein zwanzigjähriger Anführer, der das Treffen leitete. Als sie alle die Burg erreicht hatten, kletterten sie über die Mauer und setzten sich rings um das Feuer, das der Anführer schon angezündet hatte. Sie begrüßten sich mit wenigen Worten, dann nahmen sie aus ihren Beuteln und Taschen alles heraus, was sie in den Fabriken hatten stehlen können. Niemand sprach, bis die Zigarren geraucht worden waren, die der Anführer mitgebracht hatte. Einige Jungen husteten immer wieder, andere spuckten, während sie die Zigarren rauchten. Dann sprach der Anführer.

1. In welchem Jahrhundert findet diese Geschichte statt?
2. Wo arbeiteten die Kinder?
3. Warum waren sie abends so müde?
4. Was für eine Stadt war es, wo sie wohnten?
5. Was geschah einmal in der Woche?
6. Wo waren ihre Eltern?
7. Warum konnten die Kinder sich so einfach treffen?
8. Wieviele trafen sich jede Woche?
9. Wo hatten sie alles versteckt, das sie mitgebracht hatten?
0. Was machten sie, bevor der Anführer sprach?

8. *Meeting at Midnight* (ii)

„Heute Nacht werdet ihr in Zweiergruppen in den Nordosten der Stadt gehen. Letzte Woche hatten wir großen Erfolg, denn ich erhielt viel Geld für das Diebsgut, das ihr gebracht habt".

Sie sahen sich sehr stolz an, dann fuhr der Anführer fort:

„Wenn ihr alle zurückgekehrt seid, werde ich das Geld austeilen"

Die Jungen kannten die Gegend sehr gut: Einige Bauernhäuser, einige große Häuser, die den Fabriksbesitzern gehörten, und einige Läden. Leise machten sie sich auf den Weg.

Nach vier Stunden saßen sie alle wieder rings um das Feuer. Einige Jungen hatten Geld gestohlen, andere hatten Kleider, Bestecke,

Juwelen und Lebensmittel genommen. Sehr aufgeregt sprachen sie
miteinander und erzählten sich, wie sie in die Häuser eingedrungen
waren. Das Essen, das sie zurückgebracht hatten, wurde gekocht, und
dann aßen sie leise und hastig. Dies war ihre beste Mahlzeit der
Woche. Bevor sie noch einmal Zigarren rauchten, gab ihnen der
Anführer ihren Anteil an dem Geld. Als der Himmel heller wurde,
löschte der Anführer das Feuer, und die Jungen kehrten nach Hause
ins Bett zurück, wo sie von der köstlichen Mahlzeit träumten.

1. Was machte der Anführer mit den gestohlenen Dingen?
2. In welchen Teil der Stadt gingen sie an diesem Abend?
3. Was für Gebäude waren in diesem Teil der Stadt?
4. Wie lange dauerte es, bevor sie alle wieder zusammen waren?
5. Wie waren sie, als sie zurückkamen?
6. Wo hatten sie vielleicht das Essen gefunden?
7. Was haben sie mit dem Essen gemacht?
8. Warum aßen sie schnell?
9. Was machten sie schließlich, bevor sie nach Hause gingen?
10. Was mußte der Anführer machen?

9. An Unpleasant Experience (i)

Ich spazierte mit meinem Hund über die kahle und windige Heide
und fürchtete mich bereits ein wenig. Zwei Stunden wanderten wir
schon, als der dichte Nebel uns einzuhüllen begann. Ich kannte mich
in der Gegend nicht aus, da ich nur zu Besuch bei einem alten Schul-
freund war, der unten im Dorf wohnte. Deshalb hatte ich auch keine
Ahnung, wie schnell sich das Wetter ändern konnte.

Bei schönem, sonnigen Wetter waren wir um halb zehn auf-
gebrochen – mein Freund war bei der Arbeit, und so hatte ich einen
freien Tag – aber je höher wir stiegen, desto unfreundlicher wurde
das Wetter. Wir hätten umkehren sollen, doch ich hatte gehofft, die
höchste Stelle zu erreichen, um dann in das nächste Tal hinunter-
zusteigen. Zu meiner Enttäuschung lagen die Täler nicht sehr tief, und
so kletterten wir weiter. Ich war sehr beunruhigt, denn jetzt war ich
nicht mehr sicher, wo wir uns befanden. Plötzlich erblickte ich ein
Licht in der Ferne, und mein Herz schlug schneller.

1. Wie war die Heide?
2. War der Mann allein?
3. Warum war er in dem Dorf?

4. Warum war der Mann auf der Heide?
5. Um wieviel Uhr begann er seine Wanderung?
6. Wie war das Wetter, als er seine Wanderung begann?
7. Warum wollte er die höchste Stelle erreichen?
8. Wie wurde das Wetter, als er weiter ging?
9. Warum war er beunruhigt?
10. Warum schlug sein Herz schneller?

10. *An Unpleasant Experience* (ii)

Dann verschwand das Licht, aber wir liefen in die Richtung, aus der es gekommen war. Wir liefen nicht mehr den schmalen Fußpfad entlang, sondern quer über die Heide. Der Nebel wurde immer dichter und, da der Boden so uneben war, stolperte ich oft. Obgleich das Lict ständig an- und ausging, kamen wir immer näher. Plötzlich fiel ich hin. Mein Fuß hatte sich in einem Kaninchenloch verfangen und schmerzte. Von nun an mußte ich langsamer gehen. Gelegentlich knurrte mein Hund – er konnte die Kaninchen riechen.

Schließlich erreichten wir die Stelle, wo das Licht brannte. Es war eine Laterne, die an der Tür eines Bauernhauses hing, und da der Wind blies, flackerte das Licht. Ich ging zur Tür und klopfte. Ein alter Bauer öffnete, und wir gingen hinein. Ich erzählte ihm alles, bekam sofort etwas Heißes zu trinken, während mein Hund mit etwas Fleisch gefüttert wurde, das vom Mittagessen übriggeblieben war. Da der Bauer ein Telefon hatte, rief ich meinen Freund an, der nach einer halben Stunde mit seinem Auto kam. Der Hund, der vor dem Kamin schlief, begrüßte ihn freudig, und nachdem wir dem Bauern gedankt hatten, stiegen wir alle ins Auto und fuhren heim.

1. Ging er den Fußpfad entlang in die Richtung des Lichts?
2. Warum stolperte der Mann oft?
3. Warum mußte er bald langsamer gehen?
4. Wie war der Nebel?
5. Warum knurrte der Hund?
6. Was für ein Haus war es?
7. Wo war die Laterne?
8. Was aß der Hund?
9. Wie konnte der Mann mit seinem Freund sprechen?
10. Wie sind sie alle nach Hause gekommen?

11. *A Frightening Discovery* (*i*)

An einem schönen Tag im Juli gingen Peter und seine Freunde in den Wald, um Versteck zu spielen.

„Ich werde hier bleiben", sagte Peter, „versteckt euch, so gut ihr könnt. Ich werde bis hundert zählen, dann komme ich euch suchen".

Er schloß die Augen, während seine beiden Freunde schnell wegliefen.

Nachdem er gezählt hatte, öffnete er die Augen und ging in die Richtung, aus der er zuletzt etwas gehört hatte. Alles war jetzt ruhig, die Stille wurde nur durch das Zwitschern der Vögel unterbrochen. Als er weiter in den Wald hineinging, hörte er ganz in der Nähe ein merkwürdiges Stöhnen. Er kroch vorsichtig hin, hielt aber plötzlich an, als zwei Männer aus dem Gebüsch rannten. Peter versteckte sich, bis sie verschwunden waren, dann eilte er zur Stelle, wo er sie gesehen hatte. Das Stöhnen wurde lauter, als er näher kam. Er erreichte das Gebüsch, blickte durch die Zweige, und sprang vor Überraschung zurück. Einen Augenblick stand er reglos da, dann rief er seinen Freunden zu:

„Wilhelm, Hans, kommt schnell her! Ich habe einen Mann gefunden!"

1. Wie war das Wetter?
2. Wohin waren die Jungen gegangen?
3. Was wollten sie da machen?
4. Was machten die anderen Jungen, als Peter zählte?
5. Wieviele Jungen waren es?
6. In welche Richtung ging Peter?
7. Warum hielt er plötzlich an?
8. Was hörte er, als er sich dem Gebüsch näherte?
9. Was sah er auf dem Boden liegen?
10. Warum kamen seine Freunde?

12. *A Frightening Discovery* (*ii*)

„Wir sollten lieber die Polizei anrufen", sagte Wilhelm ruhig. „Ich werde ein Telefon suchen. Ihr bleibt hier und paßt auf den Mann auf".

Damit lief er schnell davon, während Peter und Hans versuchten, den Mann aufzusetzen. Sie stellten ihm Fragen:

„Was ist los? Warum sind Sie hier? Wer waren die Männer?"

Der Mann versuchte zu sprechen, fiel aber bewußtlos auf den Boden zurück. Sein rechtes Bein war gebrochen, und sein Mund war geschwollen und blutete. Eine halbe Stunde später war Wilhelm wieder da.

„Die Polizei kommt mit einem Krankenwagen", sagte er.

Als die zwei Polizisten erschienen, baten sie die Jungen, die Männer zu beschreiben.

„Leider kann ich Ihnen nicht helfen", sagte Peter, „sie sind so schnell weggelaufen".

„Einer war groß und hatte schwarzes Haar", erklärte Hans.

„Und der andere trug einen dunkelbraunen Anzug", rief Wilhelm plötzlich.

„Vielen Dank", sagte einer der Polizisten, „jetzt können wir sie fangen. Wir glauben, daß sie vor vier Stunden in ein Juwelengeschäft eingebrochen sind. Vielleicht hat der Juwelier sie gesehen, deshalb haben sie ihn mitnehmen müssen".

Der Verletzte wurde auf einer Krankenbahre zur Landstraße getragen, und die Jungen fuhren im Polizeiauto heim. Am Abend wurden die Männer verhaftet, und wegen ihres Verbrechens mußten sie sechs Jahre im Gefängnis verbringen.

1. Was beschloß Wilhelm?
2. Wer blieb bei dem Mann?
3. Was machten die anderen Jungen, nachdem Wilhelm davongelaufen war?
4. Was geschah, als der Mann zu sprechen versuchte?
5. Warum konnte er nicht aufstehen?
6. Wie lange dauerte es, bis Wilhelm wieder dort war?
7. Was sollten die Jungen für die Polizisten machen?
8. Warum mußten die Männer den Juwelier mitnehmen?
9. Wie kam der Verletzte in den Krankenwagen?
10. Wo verbrachten die Männer die nächsten sechs Jahre?

13. The Theft (i)

Es war eine kalte, mondhelle Nacht. Hinter zahlreichen Bäumen verborgen lag das Landhaus, das dem berühmten Juwelier Thomas Schübel gehörte. Alles war still, bis plötzlich in den hundert Meter entfernten Büschen ein Rascheln zu hören war. Zwei Männer liefen von Baum zu Baum, damit niemand sie sah.

Sie waren hier, um Juwelen zu stehlen. Einer trug einen Werkzeugkasten in der Hand, der andere zwei Säcke. Zwanzig Meter vom Haus entfernt blieben sie stehen. Dann sprang der kleinere schnell hinüber zum Speisezimmer, während der andere im Schatten der Bäume wartete. Sehr leise öffnete er das Fenster, dann winkte er seinen Freund zu sich heran. Die beiden Männer krochen nun ins Haus und stiegen die Treppe hinauf zu Schübels Schlafzimmer.

Jemand hatte ihnen erzählt, daß er in Düsseldorf sei, aber gerade als sie die Tür öffnen wollten, hörten sie drinnen jemanden schnarchen. Sie blieben stehen, erstaunt und erschrocken. Dann öffneten sie leise die Tür. Der größere Mann ging vor und stellte sich neben das Bett, um Schübel zu bewachen, während der andere schnell auf das Bild an der Wand zuging, es herunternahm und den Safe fand.

1. Wie war die Nacht?
2. Wo war das Landhaus?
3. Warum waren die Männer da?
4. Was trugen sie?
5. Wo hatten sie sich versteckt?
6. Was machte der größere Mann, als sein Freund hinüber zum Speisezimmer ging?
7. Wie sind sie ins Haus gekommen?
8. Wo sollte Schübel sein?
9. Was hörten die Männer im Schlafzimmer?
10. Wo war der Safe?

14. The Theft (ii)

Er legte sein Ohr ganz nah an den Safe und begann, die Wählerscheibe zu drehen. Jedesmal, wenn es klickte, hielt er seinen Atem an, aber Schübel wachte nicht auf. Endlich war der Safe offen. Der kleinere Mann öffnete einen Sack und fing an, den Schmuck hineinzustopfen, doch plötzlich ließ er eine Halskette auf den Boden fallen. Schübel erwachte und richtete sich im Bett auf. Er starrte auf den kleineren Mann, der den Sack in der Hand hielt, und fragte:

„Was tun Sie hier? Dies ist mein Schlafzimmer!"

Aber bevor er noch etwas sagen konnte, schlug ihn der größere Mann mit der Faust nieder. Er fiel bewußtlos aufs Bett zurück. Eilig füllten die beiden Männer den anderen Sack und verließen das Zimmer.

Aber Hubert, Schübels Bruder, hatte alles gehört. Er kam aus seinem Schlafzimmer, knipste das Licht an und sah die beiden Männer.

Er schrie, während sie die Treppe hinabliefen und aus dem Haus stürzten. Hubert ging in sein Zimmer zurück und rief die Polizei an. Da die Männer Strümpfe über das Gesicht gezogen hatten, konnte er sie nicht beschreiben.

Die Männer erreichten ihr Auto, sprangen schnell hinein und fuhren davon. Aber sie kamen nicht weiter als zwei Kilometer, dann wurden sie von der Polizei angehalten. Die Polizisten fragten sie, woher sie kamen, dann bemerkten sie die Säcke, und sie wußten, wen sie vor sich hatten. Die Diebe wurden zur Polizeiwache gebracht, wo sie die Nacht und den folgenden Tag verbrachten – den ersten von vielen Tagen im Gefängnis.

1. Wie öffnete der kleinere Mann den Safe?
2. Wann hielt er seinen Atem an?
3. Wohin stopfte er die Juwelen?
4. Warum erwachte Schübel?
5. Warum fiel er bewußtlos aufs Bett zurück?
6. Wer hatte alles gehört?
7. Warum konnte er die Männer nicht beschreiben?
8. Mit wem telefonierte er?
9. Wie weit waren die Männer gefahren, bevor die Polizei sie anhielt?
10. Wie wußten die Polizisten, wen sie vor sich hatten?

15. *An Enjoyable Weekend* (i)

Brigitte und ihr Bruder Thomas waren sehr aufgeregt. Ihre Tante Monika hatte sie eingeladen, ein Wochenende bei ihr auf dem Lande zu verbringen. Da ihr Vater arbeiten mußte, fuhren sie mit dem Zug. Die Reise dauerte anderthalb Stunden und als sie ankamen, wartete ihre Tante schon auf dem Bahnsteig.

„Brigitte, Thomas!" rief sie, und die Kinder rannten schnell auf sie zu. „Wie war die Reise?" fragte sie.

„Sehr angenehm", antwortete Thomas, „aber sie dauerte nur so lange".

Eine kurze Fahrt noch und sie saßen in der kleinen Wohnung ihrer Tante.

Eine halbe Stunde später klingelte es. Rudi und Gabi, die gegenüber wohnten, standen vor der Tür.

„Kommt doch herein", sagte Tante Monika, „eure Freunde sind schon hier".

Die Kinder begrüßten sich herzlich.

„Ich habe nichts dagegen, wenn ihr ein wenig draußen spielen wollt", sagte die Tante.

„Danke schön", erwiderten die Kinder, „wann müssen wir zurückkommen?"

„Wir essen um halb eins zu Mittag", erklärte ihnen Tante Monika, „viel Spaß!"

Die Kinder liefen zum kleinen Fluß hinunter, der am Ende des Gartens vorbeifloß. Da redeten und spielten sie, bis Rudi und Gabi heimgehen mußten. Beim Mittagessen aber kündigte Tante Monika an:

„Heute Nachmittag werden wir einen eurer Freunde besuchen. Er wohnt auf einem Bauernhof und ...".

„Onkel Heinrich!" riefen die Kinder zur gleichen Zeit, „das ist prima!"

1. Wohin gingen die beiden Kinder?
2. Warum fuhren sie mit dem Zug?
3. Wo war ihre Tante, als sie ankamen?
4. Wie war die Reise gewesen?
5. Hatten sie es noch weit zu der Wohnung ihrer Tante?
6. Wer waren Gabi und Rudi?
7. Warum mußten die vier Kinder mittags zurückkommen?
8. Was machten sie am Flußufer?
9. Wen besuchten sie am Nachmittag?
10. Arbeitete dieser Mann in einem Büro?

16. An Enjoyable Weekend (ii)

Sie stiegen schnell ins Auto ein und erreichten bald den Hof. Onkel Heinrich umarmte sie, dann fragte Wolfgang:

„Dürfen wir in die Scheune gehen?"

„Gerne", erwiderte ihr Onkel, „ihr werdet euren Vetter Georg dort finden".

Die Scheune war voller Heu, und die drei Kinder tummelten sich und sprangen herum, bis sie atemlos waren. Plötzlich sahen sie ihre Tante hereinkommen.

„Wir fahren heute Abend nicht heim!" kündigte sie an.

„Sagenhaft", rief Wolfgang.

„Wir haben aber keine Nachtkleider mitgebracht", wendete Brigitte ein.

„Doch!" antwortete Tante Monika, „sie sind im Kofferraum! Ich habe alles eingepackt, während ihr am Ufer des Flusses wart".

Am Abend begleiteten sie den Bauern, als er sein Vieh und seine Hühnchen fütterte, dann gingen sie ganz früh zu Bett, denn sie waren sehr müde.

Wegen des schönen Wetters fuhren sie am nächsten Morgen mit dem Traktor auf die Wiese hinaus, um bei der Heuernte zu helfen. Sie arbeiteten den ganzen Tag. Mittags machten sie ein Picknick im Schatten eines der großen Heuschober, den sie errichtet hatten. Dann und wann jagten sie die kleinen Feldmäuse, die überall herumliefen, als das Gras geschnitten wurde.

Früh am Abend aber mußten sie alles wieder einpacken, dann fuhren sie schnell zum Bahnhof, um den Zug zu erreichen.

„Vielen Dank", sagten Brigitte und Wolfgang, während sie sich aus dem Fenster des Zuges lehnten. Der Zug fuhr langsam ab, und sie winkten ihrer Tante, bis sie außer Sicht war.

1. Wie fuhren sie zum Bauernhof?
2. Wo wollten die Kinder spielen?
3. Wie lange tummelten sie sich im Heu?
4. Warum dachte Brigitte, daß sie dort nicht übernachten konnten?
5. Wann hatte ihre Tante ihre Kleider eingepackt?
6. Was mußte der Bauer am Abend machen?
7. Was machten sie am nächsten Tag?
8. Wo aßen sie zu Mittag?
9. Warum mußten sie alles wieder einpacken?
10. Wie lange winkten sie ihrer Tante?

17. Moving House (i)

Wir wohnten seit sechs Jahren in einer sehr kleinen Wohnung in der Essener Stadtmitte und wollten jetzt in ein großes Haus umziehen. Wir frühstückten noch, als Ulrich, mein Bruder, plötzlich aus dem Fenster schaute.

„Mutti", rief er, „ein großer Lastwagen ist eben angekommen! Die Möbelpacker sind schon hier!"

Meine Mutter war sehr erstaunt, weil sie die Männer nicht vor halb zehn erwartete, und es erst neun war.

Ich aß mein Frühstück auf und wollte meine Freunde besuchen, um ihnen ‚Auf Wiedersehen' zu sagen, aber Mutti sagte:

„Peter, Ulrich, ihr müßt mir beim Abwaschen helfen!"

Dann klopfte es, und sie ging zur Tür und öffnete sie.

„Guten Morgen", sagte einer der Möbelpacker. „Bitte um Entschuldigung, daß wir früher gekommen sind".

„Das macht nichts", erwiderte Mutti, „aber wir sind noch nicht fertig".

„Können wir aber die großen Möbel in den Wagen tragen?" fragte er.

„Ja, gerne", antwortete sie.

Sie hoben ohne Schwierigkeit die Sessel und die Lehnstühle, aber mit dem Klavier ging es nicht so leicht. Die Männer stöhnten und seufzten, doch endlich brachten sie alles in den Möbelwagen. Wir nahmen indessen die kleineren Gegenstände aus dem Haus; Mutti packte alles, was übrig blieb, in Kisten und Pappkartons, und bis Mittag war die Wohnung völlig leer.

1. Was machte die Familie, als die Möbelpacker ankamen?
2. Warum wollten sie umziehen?
3. Wie wurde die Ankunft der Möbelpacker entdeckt?
4. Um wieviel Uhr kamen die Möbelpacker an?
5. Warum durfte Peter seine Freunde nicht besuchen?
6. Was nahmen die Männer sofort in den Wagen?
7. Warum war es so schwierig, das Klavier aus dem Zimmer zu tragen?
8. Wie wissen Sie, daß die Männer Schwierigkeiten mit dem Klavier hatten?
9. Wie kamen die kleineren Gegenstände in den Wagen?
10. Wie lange dauerte es, bevor die Wohnung leer war?

18. Moving House (ii)

„Fahren wir jetzt?" fragte Mutti.

„Wenn es Ihnen recht ist, möchten wir noch vorher einen kleinen Imbiß einnehmen", antworteten die Möbelpacker.

Glücklicherweise fand Mutti einen Kochtopf und ein Päckchen Tomatensuppe, und wir saßen auf dem Fußboden, um sie zu essen. Wir verließen die Wohnung um eins.

Das neue Haus, ein vor 250 Jahren erbauter Herrensitz, lag fünfzig Kilometer entfernt. Ulrich hatte Angst, daß es in ihm spuken konnte, und wurde sehr zornig, wenn wir alle über diese Idee lachten.

Als wir um drei Uhr ankamen, sprangen wir aus dem Auto und warteten auf den Möbelwagen. Dann öffneten wir das rostige quietschende Tor und liefen den Gartenweg entlang bis zur Haustür. Ich war sehr aufgeregt, als ich ins Haus ging. Seit sechs Monaten wohnte niemand dort, und halbzerrissene Tapeten hingen von den

Wänden; manche Fensterscheiben waren auch zerbrochen. Ich betrat ein Schlafzimmer und erschrak:

„Ulrich!" schrie ich, „hier gibt's Mäuse!"

Ulrich eilte die Treppe hinauf, und wir jagten den Mäusen nach, die in ein Loch in der Wand rannten.

Als wir in ein anderes Zimmer gingen, hörten wir ein Geschrei von unten. Wir stürzten ins Wohnzimmer und sahen, wie Mutti sich die Nase hielt.

„Ich habe ein Wespennest in der Fensternische gefunden!"

Wir versuchten, sie zu trösten, dann verschwanden wir schnell in den Garten.

Hier sah alles sehr wild aus, Unkraut wuchs überall, und das Gras war sehr hoch. Wenigstens standen aber einige Äpfel- und Birnbäume dort. Am Ende des Gartens erblickten wir einen alten Schuppen. Wir gingen vorsichtig hinein und fanden drinnen allerlei Spielzeug, mit dem wir in den kommenden Ferien spielen konnten. Wir waren sehr glücklich.

1. Warum fuhren sie nicht sofort ab?
2. Was aß die Familie zu Mittag, und wo?
3. Warum würde Ulrich zornig?
4. Wie alt war das Haus?
5. Wie lange ist das Haus leer gewesen?
6. Wie waren die Tapeten und Fensterscheiben?
7. Warum erschrak Peter?
8. Warum liefen die Mäuse ins Loch?
9. Was hatte ihre Mutter gefunden?
10. Was wuchs im Garten?

19. A Visit to the Rhineland (i)

Peter freute sich sehr auf seine erste Reise nach Deutschland. Sein Brieffreund Karl hatte ihn eingeladen, vierzehn Tage bei ihm zu verbringen. Karl wohnte in Bingen, einer Stadt am Rhein, und hatte schon viele Ausflüge geplant.

Als Peters Flugzeug auf dem Frankfurter Flughafen landete, hatte er ein bißchen Angst vor seinen ersten Ferien im Ausland. Er hatte ein Bild von Karl in der Tasche, und als er durch den Zoll ging, erkannte er ihn sofort.

„Guten Tag", sagte er seinem Freund sehr erfreut.

„Prima, das Flugzeug ist pünktlich angekommen", rief Karl, „hast du einen guten Flug gehabt?"

„Ja, danke", antwortete Peter, „wie geht es dir?"

„Mir geht's gut, und es freut mich sehr, daß du hier bist", erwiderte Karl. „Aber entschuldige, Vati, ich hätte fast vergessen. Das ist Peter".

Herr Kleinikel schüttelte ihm die Hand. „Es freut mich, dich kennenzulernen", sagte er. „Aber gib mir deinen Koffer. Wir fahren nach Hause, wo meine Frau ein schönes Essen vorbereitet hat. Hast du Hunger?"

„Und wie!" rief Peter, „aber ich habe auch ein wenig Angst".

„Das macht nichts", antwortete Karl, „das kann ich verstehen".

Dann verließen sie die Zollhalle und fuhren heim.

1. Warum fuhr Peter nach Deutschland?
2. Hatte er Deutschland schon besucht?
3. Was ist Bingen?
4. Wie fuhr er dorthin?
5. Wie konnte er seinen Freund erkennen?
6. Mit wem ging Karl, um seinen Freund zu treffen?
7. Warum mußte er nicht lange warten?
8. Was hatte Peter mitgebracht?
9. Warum fuhren sie sofort nach Hause?
10. Hatte Peter keinen Hunger?

20. A Visit to the Rhineland (ii)

Während der Fahrt sprachen die Jungen sehr aufgeregt miteinander. Peter fand es sehr komisch, daß die Autos auf der rechten Seite der Straße fuhren. Als sie aber ankamen, hatte er keine Angst mehr, und nach dem großen Abendessen unterhielten sie sich alle bis sehr spät am Abend.

Am folgenden Morgen aß Peter ein echtes deutsches Frühstück — Brötchen mit Marmelade, und dazu gab es heißen Kaffee. Nach dem Frühstück sagte Herr Kleinikel:

„Heute haben wir schönes Wetter. Willst du eine Rundfahrt machen?"

„Gerne", rief Peter. „Ich habe meine Karte mitgebracht, und ich weiß schon etwas Bescheid über das Rheinland".

Sie stiegen in den Volkswagen und fuhren über die Brücke nach Aßmannshausen. Der Fluß war nun auf der linken Seite.

„Er ist so breit, und es gibt so viele Dampfer und Lastkähne darauf", sagte Peter erstaunt.

Sie fuhren durch kleine Dörfer und gegen Mittag parkten sie neben einem hübschen Restaurant am Ufer des Flusses.

Nach einem schnellen Imbiß fuhren sie zum weltberühmten Loreleifelsen.

„Ich kenne schon die Geschichte", sagte Peter, „aber ich habe nicht gewußt, daß der Fels so hoch ist".

Bei St. Goarhausen fuhren sie mit der Wagenfähre über den Rhein, und nach anderthalb Stunden waren sie wieder daheim.

„Vielen Dank", sagte Peter, „die Photos der Weinberge und der Burgen werden mich immer an diesen Tag erinnern".

1. Warum fand Peter es komisch, daß die Autos auf der rechten Seite fuhren?
2. Was machten sie, als sie zu Hause waren?
3. Wie verbrachten sie den Abend?
4. Wie war das Wetter am nächsten Tag?
5. Wie wußte Peter, in welche Richtung sie fuhren?
6. Was für einen Wagen besaß Herr Kleinikel?
7. Was sah Peter auf dem Rhein?
8. Wo aßen sie zu Mittag?
9. Warum war Peter so überrascht, als er den Loreleifelsen sah?
10. Was hatte er photographiert?

PART III

PASSAGES FOR DICTATION

General Notes on Passages for Dictation

Before the examination begins all proper names are written on the blackboard. The teacher then reads the passage aloud at a moderate speed. During this reading the pupils write nothing down. The passage is then read again, in groups of words as indicated, each group being repeated, and the pupils being given sufficient time to write the word-group down. At the end of this reading, the passage is read out at a moderate speed, and in the remaining time the pupils check what they have written.

All punctuation must be given in German as follows:

Comma: *Komma*
Full Stop: *Punkt*
Semicolon: *Semikolon*
Colon: *Kolon*
Hyphen: *Gedankenstrich*
New paragraph: *Neue Zeile*

Brackets: *Klammer*
Question mark: *Fragezeichen*
Exclamation mark: *Ausrufezeichen*
Inverted commas: *Anführungszeichen*
Apostrophe: *Apostroph*

1. The Family at Home

Seit sechs Jahren / bewohnt die Familie / ein modernes Doppel-
haus / in einem Vorort der Stadt. / Es ist hier sehr ruhig, / und sie
haben mehr Platz / als in der gemieteten Wohnung, / die sie früher /
bewohnt hatten. / Das Haus ist zweistöckig, / mit fünf Zimmern
oben / und vier unten. / Dem Vater gefällt der Garten / am besten, /
und die Mutter / hat besondere Freude / an der modernen Küche /
mit dem neuen Herd / und dem Kühlschrank. / Die zwei Jungen /
können draußen im Garten spielen. / Sie haben schon einige

Freunde, / die in der Nähe wohnen. / Der älteste Sohn / ist aber seit vier Jahren / im Ausland, / und wegen seines Berufs / kommt er selten heim.

2. *Holidays by the Sea*

Jedes Jahr / verbrachten die Kinder / ihre Ferien in einem Fischerdorf. / Bei schönem Wetter / gingen sie am Morgen / immer baden. / Sie tauchten in der See / und schwammen und spielten. / Wenn der Wind wehte, / kämpften sie / mit den großen Wellen, / dann gingen sie den Strand entlang / und machten Spaziergänge / über die Dünen, / die sich meilenweit / erstreckten. / Von der Höhe / der Klippen / hatten sie / eine prachtvolle Aussicht / auf allerlei Schiffe und Boote. / Am schönsten aber / war die Fahrt mit den Fischern, / die sie seit langem kannten.

3. *In Winter*

Die Kinder waren / alle schon im Bett, / als die ersten Schnee-flocken / vom verhangenen Himmel / langsam zur Erde fielen. / Zuerst / blieben sie nicht / auf dem Boden liegen; / als sie aber / dicker und zahlreicher wurden, / glich die Landschaft / einer riesengroßen weißen Decke. / Am nächsten Morgen / lag der Schnee / dreißig Zentimeter hoch. / Die Dorfkinder schrien / vor lauter Freude, / verschlangen / mit großer Schnelligkeit / das Frühstück, / und eilten jubelnd / aus dem Haus. / Auf dem Marktplatz / bewarfen sie sich / mit Schneebällen, / auf den Hügeln / fuhren sie Schlitten / oder liefen Schlittschuh. / Sie genossen / den Wintertag.

4. *At the Station*

Die Geschwister Huber / waren sehr aufgeregt. / Ihre Tante hatte sie eingeladen, / ein Wochenende / bei ihr auf dem Lande / zu verbringen. / Ihr Vater brachte sie also / früh am Morgen / zum Bahnhof, / aber bevor er die Fahrkarten kaufte, / sagte Brigitte: / „Wir haben nichts zu lesen. / Können wir / einige Comic-Hefte haben?" „Ja gerne", / antwortete ihr Vater, / und sie gingen zum Zeitungskiosk, / wo die Kinder einige auswählten. / Am Fahrkarten-schalter / löste ihr Vater / die Fahrkarten, / und sie gingen alle / durch die Sperre, / wo sie dem Schaffner / die Fahrkarten zeigten, / bevor sie einstiegen. / Vati legte die Reisetasche / ins Gepäcknetz, / dann sagte er: / „Auf Wiedersehen! / Ich werde euch am Sonntagabend / vom Bahnhof abholen". / Dann fuhr der Zug / langsam ab.

5. *Spring in the Country*

Es war der erste Frühlingstag: / Die Sonne strahlte / aus einem wolkenlosen Himmel / herab auf den Bauern, / der hoch oben / auf dem Hügel stand. / Er schaute um sich. / Im Tal / erblickte er sein Vieh, / das dort friedlich / bei einem Bach graste. / Nach dem strengen Winter / war die Landschaft verjüngt. / In der Ferne / sah er / die schneebedeckten Berge / im Sonnenschein, / und unten / war der Bauer des Nachbarhofs / mit seinen Helfern / bei der Arbeit / auf den Feldern. / In den Eichen / zwitscherten die Vögel / fröhlich, / und ab und zu / hopsten Hasen / über die Felder. / Völlig zufrieden / ging der Bauer langsam hinunter / zu seinem Hof / am Fuße des Hügels. / Schon strömte ihm / der Duft des Mittagessens / entgegen, / das seine Frau vorbereitet hatte.

6. *Camping*

Die drei Jungen / waren sehr müde, / als sie eine hübsche Stelle fanden, / wo sie die Zelte / aufschlagen konnten. / Vor ihnen / war ein reißender Fluß / und dahinter / ein hoher Fels. / Sie bauten sich / ein Feuer / und kochten sich / eine wohlverdiente Mahlzeit. / Nach dem Abwaschen / holten sie die Schlafsäcke heraus / und versuchten / einzuschlafen. / Das Rauschen des Flusses / und das Schnarchen / eines der Jungen / waren zu viel für die anderen. / Trotzdem / blieben sie dort eine Woche. / Das Wetter meinte es gut / mit ihnen. / Sie machten Ausflüge / in die nahen Berge und Täler, / und zweimal gingen sie / in die Stadt, / um etwas Besseres zu essen.

7. *The Art Lesson*

Es war Freitag, / und die Schüler gingen / sehr langsam / zu ihrer letzten Unterrichtsstunde / des Tages: / Zeichnen. / Diese Stunde war gewöhnlich / sehr langweilig, / aber nicht heute! / Die Schüler betraten das Zimmer, / und holten sich, / was zum Malen / nötig war, / dann gingen sie zu ihren Pulten. / Der Lehrer mußte / wegen eines dringenden Anrufs / das Zimmer verlassen, / aber eine Zeitlang / arbeiteten alle sehr ruhig. / Plötzlich / fühlte einer der Schüler, / wie ihn etwas / im Nacken traf. / Es war rote Farbe! / Er stand auf / und bemerkte Hubert, / der frechste Schüler der Klasse, / der unverschämt grinste.

8. *An Industrial Town*

Manfred wohnt / in einer Industriestadt, / die durch ihre Auto-
fabriken / sehr bekannt ist. / Viele Leute sagen, / es sei gesünder, /
in einem Dorf oder an der See / zu wohnen, / aber die Einwohner
dieser Stadt / sind nicht / derselben Meinung. / Die Straßen sind /
weder sauber noch interessant. / Überall / gibt es ärmliche Häuser /
und Läden, / schmutzige Bürgersteige / und sehr viel Verkehr. / Für
Fremde / ist die Stadt unangenehm, / aber wohltuend / sind die
schönen Anlagen, / wo ein Besucher / sich ausruhen kann. / Manfred
fährt gern an die See, / aber er möchte dort / sein ganzes Leben / nicht
verbringen. / Er gehört in die Stadt.

9. *Boredom*

Karl lag traurig / auf seinem Bett, / und schaute aus dem Fenster. /
Der Regen, / der schon um acht begonnen hatte, / hörte immer / noch
nicht auf. / Gestern / hatten er und seine Freunde / beschlossen, /
einen Ausflug / in die Berge zu machen, / aber wegen des schlechten
Wetters / war alles ausgefallen. /

Auf dem Tisch / stand seine elektrische Eisenbahn. / Er fing an, /
damit zu spielen, / aber dieses Vergnügen / dauerte nicht lange. / Er
nahm ein Buch / aus dem Bücherschrank, / blätterte es durch, / und
warf es auf das Bett. / Er wußte gar nicht, / was er machen sollte. /
Dann hörte er / das Telefon klingeln. /

„Karl", rief seine Mutter, / „es ist für dich". /
In viel besserer Laune / sprang er / die Treppe hinunter.

10. *The Burglary*

Während der Nacht / sind zwei Diebe / durch ein schmales
Fenster / in das Juwelengeschäft / in der Hauptstraße / eingebrochen. /
Schnell versteckten sie / Halsketten, / silberne und goldene Uhren / in
drei große Säcke, / dann verschwanden sie / durch die Hintertür / in die
enge Gasse. / Erst um neun Uhr / am nächsten Tag / wurde der
Einbruch entdeckt. /

Wochenlang / fand die Polizei / keine Spur, / dann hatten sie
endlich Erfolg. / Ein kostbarer Edelstein / tauchte in einer Stadt /
zweihundert Kilometer entfernt auf. / Innerhalb einer Woche / war
alles wieder beim Juwelier, / und die Diebe verbrachten / sechs lange
Monate / im Gefängnis.

11. At the Surgery

Der Junge saß mit seiner Mutter / im Wartezimmer. / Sein Magen tat ihm weh, / und er wartete auf / die Untersuchung des Arztes. / Er betrachtete / die anderen Leute, / die schweigend dasaßen. / Einige sahen sehr blaß aus, / einige hatten Verbände / um den Finger oder den Kopf, / aber niemand sprach. / Einer nach dem anderen / verschwand ins Sprechzimmer, / bis der Junge endlich / an der Reihe war. / Er ging langsam hinein, / von der Mutter begleitet. / Der Arzt grüßte sie, / und der Junge erklärte, / was ihm fehlte. / Der Arzt fühlte den Puls / und steckte das Thermometer / in die Achselhöhle. / Dann sagte er zur Mutter: / „Er muß sofort / ins warme Bett. / Ich komme morgen früh vorbei". / Dann gab er dem Jungen / eine Pille, / die dieser sofort verschluckte.

12. Grandfather Schmidt

Großvater Schmidt braucht keinen Wecker. / Jeden Morgen / um viertel vor sechs / öffnet er die Augen, / steht sofort auf, / nimmt seinen Morgenrock / und geht ins Badezimmer. / Da wäscht er sich / das Gesicht und die Hände / und rasiert sich. / Dann, wieder im Zimmer, / zieht er sich an, / kämmt sich das Haar / und geht nach unten. / In der Küche / schaltet er das Radio ein / und ißt sein Frühstück / – Brötchen mit Marmelade. / Um halb sieben / nimmt er dann / seinen Regenmantel und seinen Hut, / schließt die Tür leise / und verläßt das Haus. / An der Haltestelle / trifft er / seine Arbeits- kollegen, / und sie steigen alle / in den Autobus ein, / der sie zur Fabrik bringt.

13. Coming Home Late

Leise kletterte / der schlimme Junge / durch das offene Fenster in die Küche. /
„Hoffentlich / sind meine Eltern schon im Bett", / sagte er zu sich. /
Er schlich zur Tür, / öffnete sie lautlos / und guckte hinein. / Da saßen sie noch. / Der Vater schlief, / und die Mutter saß vor dem Fernsehen. / Auf den Zehenspitzen / versuchte der Junge, / die Tür seines Schlafzimmers / zu erreichen. / Plötzlich / stand seine Mutter auf. / Er erschrak / und hielt den Atem an. / Sie ging zum Fern- sehapparat / und schaltete ihn aus. / Ihr Mann erwachte, / und während er / mit seiner Frau sprach, / fand der Junge den Türgriff. /

Er war eben im Begriff, / hinauszuschleichen, / als er der Katze / auf den Schwanz trat. / Sie miaute erschreckt, / und die beiden Eltern / blickten sich um. /

„Komm hierher", / befahl ihm der Vater, / „wo bist du gewesen?"

14. *After the Wedding*

Die Hochzeit war zu Ende. / Außer den Eltern der Braut / blieb niemand / im Wohnzimmer. / Sie sahen sich um / und setzten sich / auf das Sofa. / Vor zwei Stunden noch / war dieses Zimmer / mit heiterem Gespräch gefüllt. / Die Verwandten, / die sich nur / bei solchen Festen trafen, / hatten aufgeregt / miteinander gesprochen. / Die jüngeren Gäste / tanzten zur Musik / des Plattenspielers, / während ihre Eltern immer wieder / ihre leeren Gläser / mit Wein und anderen Getränken / füllten. / Jetzt aber standen / nur noch schmutzige Teller / und Gläser herum. Die Eltern standen auf, / zogen die Mäntel an / und gingen aus dem Haus.

15. *On the Ship*

Er lag / auf dem schmalen Bett / wie eine Leiche im Sarg, / die Arme über der Brust / und die Füße zusammengepreßt. / In der nächsten Kabine / spielten einige Männer Karten. / Es war drei Uhr morgens, / und das Schiff rollte / auf der ruhigen See. / Über seinem Kopf / konnte er die schweren Schritte / des Kapitäns hören. / Er wußte, / daß er recht hatte, / weil dieser / der einzige Mann war, / der Schuhe trug. / Es war keineswegs / ungewöhnlich, / daß er die ganze Nacht hindurch / schlaflos / auf seinem Bett lag. / Seine Frau und die Kinder / waren noch in Deutschland. / Er fuhr nach Australien, / um dort ein neues Leben / anzufangen, / und er hoffte, / daß seine Familie / später nachkommen würde.

16. *Anxiety about an Illness*

Sich selbst / gestand er, / daß sein Gesicht / vielleicht auf den ersten Blick / ziemlich beunruhigend aussah, / aber er fühlte sich / wirklich nicht krank, / sondern nur müde. /

„Nichts fehlt mir". /

Er versuchte, / aus dem Bett zu steigen. / „Alles, was ich brauche, / ist Bewegung". /

Er sah, / wie die Lippen seiner Mutter / zitterten / und Tränen / in ihren Augen standen. /

„Und wo bleibt mein Frühstück?", / fragte der kranke Junge. /

„Wenn man so aussieht / wie du, /ist essen das Dümmste, / was man tun kann", / antwortete seine Mutter,

„Also denn, / wenn du wissen möchtest; / ich will kein Frühstück!" /

„Das beweist eben", / rief sie siegreich aus, / „daß du krank bist!"

17. *The Stranger*

Niemand kannte den Fremden. / Er war vor einer Woche / erschienen, / und in einem so kleinen Dorfe / wie diesem / wurde er ein Gegenstand / der Neugier der Einwohner. / Wo er im Dorfe wohnte, / konnte man nicht herausfinden. / Er besuchte / nie das Wirtshaus / und betrat selten / die beiden Geschäfte des Dorfes. / Im Geschäft war er / recht höflich, / wenn aber die Verkäuferin / ihm einige persönliche Fragen / stellte, / lächelte er nur / und sagte nichts. / Die Kinder versuchten, / ihm zu folgen, / wenn er Spaziergänge / in den Wald machte, / aber es gelang ihnen nicht. / Dann, / am folgenden Montagmorgen, / verschwand er in die Ferne, / den Rucksack auf dem Rücken, / in die gleiche Richtung, / aus der er gekommen war.

18. *The Visit*

Anfang Oktober / wurde Karl von seinem Vetter Wolfgang / eingeladen; / sie sollten sich / auf dem Kölner Marktplatz treffen. / Wegen einer Verspätung / unterwegs / erschien Karl jedoch / nicht zur festgesetzten Zeit. / Da Karl aber darauf brannte, / Wolfgang zu treffen, / ging er in eine Telefonzelle, / suchte nach der Adresse, / fand sie, / und fuhr mit dem Bus / zum Haus seines Vetters. / Dort verbrachte er / einige Tage, / aber die Bekanntschaft war / für keinen von beiden / sehr befriedigend. / Wolfgang war ein eifriger Student, / dazu völlig unsportlich, / so ging Karl allein / ins Schwimmbad, / während sein Vetter / in seinem Studierzimmer arbeitete. / Enttäuscht / wartete Karl schon auf den Tag der Rückfahrt, / und als dieser gekommen war, / packte er seine Sachen ein, / sagte ‚Auf Wiedersehen' und fuhr nach Hause.

19. *In the Black Forest*

Ich hatte beschlossen, / von Freiburg aus nach Villingen / zu fahren / — die Fahrt dauerte / nur einen Nachmittag / — um dort zu übernachten. / Ich hatte / zwischen zwei Routen zu wählen. / Da ich einen schon kannte, / entschied ich mich / für den anderen. /

Nach Waldkirch stieg der Weg / steil an / und wurde immer reizvoller. / Waldbedeckte Abhänge / mit dunkelgrünen Weiden / waren jetzt zu sehen. / Der Fichtenduft / mischte sich mit dem Duft / frischen Heus. / Schöne Bauernmädchen / in baumwollenen Kleidern / machten auf den Wiesen Heu, / von fröhlichen Kindern / dabei geholfen. / Wegen der langen Wagen, / die von Ochsen oder Pferden / gezogen wurden, / mußte ich oft anhalten. / Da ich aber / keine Eile hatte, / wartete ich geduldig, / bis die Straße wieder frei war.

20. *The Tired Wanderer*

Als der Mann mit dem Buckel / die Straßenkreuzung erreichte, / war er / völlig erschöpft. / Es wurde allmählich dunkel, / die Sonne war / hinter den fernen Hügeln / verschwunden, / und ringsum / war alles still. / Der Mond stieg langsam empor, / und der müde Wanderer / setzte sich in das Gras. / Er hatte großen Hunger, / aber nichts zu essen. / Er blickte / verzweifelt herum / und sah, / weit in der Ferne, / einen schwachen Lichtschimmer. / Mühevoll / stand er wieder auf / und machte sich auf den Weg. / Eine Dreiviertelstunde später / stand er vor dem Bauernhaus, / von dem das Licht kam. / Er schwankte / den Gartenweg entlang / bis zur Tür. / Er klopfte an. / Keine Antwort. / Er klopfte nochmal, / und hörte Fußtritte, / die näher kamen. / Die Tür wurde geöffnet, / eine dicke Frau stand da / und bat ihn, / hereinzukommen.

PART IV

SUBJECTS FOR
FREE COMPOSITION

General Notes on Essay Writing

Avoid writing more than the number of words indicated. A little more or a little less doesn't matter, but if you write too many your excess will not be marked, and it may contain your best German! If you write too little, your final mark will be proportionately lower.

Think about the essay before you start writing it, and plan it out carefully. Keep your sentences short and do not attempt to translate into German exactly what is in your mind if you are doubtful about the German. Think of another way of saying what you want to say, but if you cannot, then you would do well to forget the sentence.

Make sure you keep to one tense throughout except where a different tense is necessary in the context. Check every grammatical construction for accuracy and try to avoid simple spelling mistakes such as capital letters on nouns.

Section 1

Write, in about 120 words in German, an interesting essay on the following subjects:

1. Ein Schultag. 2. Meine Freizeit. 3. Meine Familie. 4. Eine Reise mit dem Auto. 5. Ein lustiger Abend zu Hause. 6. Auf einem Bauernhof. 7. Das Geburtstagsfest. 8. Am Wochenende. 9. Eine Reise ins Ausland. 10. Ein Spaziergang auf dem Lande.

Section 2

1. Herr Braun ist im Theater gewesen. Er kommt nach Hause und bemerkt, daß die Haustür halb offen ist. Was macht er?

2. Du verbringst drei Monate in einer deutschen Schule. Beschreibe in einem Brief an deine Eltern die Schule und die Familie, bei der du wohnst.

3. Du gehst zum ersten Mal an die See. Was machst du?

The following words may be of use:

der **Strand**, beach
der **Liegestuhl** (˜e), deckchair
der **Badeanzug** (˜e), bathing costume
die **Badehose** (-n), swimming trunks
der **Kiesel** (-), pebble
die **Jacht** (-en), yacht
sich **sonnen**, to sunbathe
segeln, to sail

die **Sandburg** (-en), sandcastle
die **Landungsbrücke** (-n), jetty
die **Welle** (-n), wave
der **Fels** (-en), rock
die **Düne** (-n), sand-dune
baden, to bathe
tauchen, to dive
sonnenverbrannt, sunburnt

4. Du fährst von Deutschland nach England zurück. Während der Fahrt mußt du deinen Reisepaß einem Zollbeamten zeigen, aber du kannst ihn nicht finden. Was machst du?

5. Du willst deinen Brieffreund oder deine Brieffreundin einladen, eine Woche bei dir zu verbringen. Du schreibst ihm/ihr einen Brief, und erklärst ihm/ihr, was ihr machen werdet.

6. Während der Sommerferien hast du ein Wochenende bei einem Pop Festival verbracht. Was hast du da getan?

The following words may be of use:

die **Gitarre** (-n), guitar
der **Polizeihund** (˜e), police dog
der **Ansager** (-), announcer
das **Zelt** (-e), tent
das **Feuer** (-), fire
der **Sänger** (-), singer
bunt, brightly-coloured
eng, tight

die **Trommel** (-), drum
der **Lautsprecher** (-), loudspeaker
der **Bart** (˜e), beard
die **Büchse** (-n), tin
die **Beatgruppe** (-n), beat group
der **Schlafsack** (˜e), sleeping bag
anzünden, to light

7. Gestern warst du auf dem Lande mit einigen Freunden, als du einen brennenden Bauernhof erblicktest. Was habt ihr alle gemacht?

8. Dein Bruder ist vor zehn Jahren nach Australien ausgewandert. Schreibe ihm einen Brief, worin du erzählst, was zu Hause geschehen ist.

9. Um die Verlobung deiner Schwester zu feiern, gehst du mit deiner Familie in ein Restaurant. Was macht ihr alle dort?

The following words may be of use:

der **Kellner** (-), waiter
die **Speisekarte** (-n), menu
das **Trinkgeld** (-er), tip
die **Hauptspeise** (-n), main course
bestellen, to order
bezahlen, to pay

die **Nachspeise** (-n), dessert
die **Rechnung** (-en), bill
die **Kasse** (-n), cash-desk
das **Getränk** (-e), drink
schmecken, to taste

10. Zwei Jungen fuhren mit dem Fahrrad eine Landstraße entlang. Sie bogen um eine Ecke und sahen einen Mann auf der Straße neben seinem Auto sitzen. Was haben die Jungen gemacht?

11. Ein Weihnachtsgeschenk kommt von deinem Onkel in Salzburg. Schreibe einen Brief, worin du ihm für das Geschenk dankst und die anderen Geschenke beschreibst.

12. Jeden Freitag triffst du deine Freunde in dem Jugendklub. Was machst du dort, um dich zu vergnügen?

The following words may be of use:

der **Plattenspieler** (-), record-player
der **Jugendleiter** (-), Youth Club leader
der **Tischtennis**, table tennis

die **Schallplatte** (-n), record
das **Fernsehen** (-), television
das **Handball**, volleyball

13. Du kommst zu spät in die Schule. Gib deine Gründe an.

14. Du bist eben in Deutschland angekommen, um deine Tante zu besuchen. Schreibe über die Reise einen Brief an deine Eltern.

15. Paul und Renate besuchten den Jahrmarkt, der nur einmal im Jahr in ihrer Stadt ist. Wie verbrachten sie den Abend?

The following words may be of use:

das **Karussel** (-), roundabout
das **Gewehr** (-e), gun
der **Autoscooter** (-), bumper-car
sich vergnügen, to enjoy oneself

die **Schießbude** (-n), shooting-gallery
das **Riesenrad** (-er), Big Wheel
ausgeben, to spend (money)

16. Herr Schübel hatte seinen Schlüssel verloren. Er stand vor der Haustür, dann hatte er eine Idee. Was war diese Idee, und wie ist er ins Haus gekommen?

17. Du verläßt deine Heimatstadt, um mit einem Freund oder einer Freundin eine Wohnung in einer Großstadt zu mieten. Beschreibe die Wohnung und die ersten vier Tage deines neuen Lebens in einem Brief an deine Eltern.

18. Vier Jungen verbrachten das vorige Wochenende auf dem Lande. Was haben sie gemacht?

The following words may be of use:

das Zelt (-e), tent	**die Bratpfanne (-n)**, frying-pan
der Schlafsack (-̈e), sleeping-bag	**die Dose (-n)**, tin, can
das Gewitter (-), thunderstorm	**die Wiese (-n)**, meadow
das Flußufer (-), river-bank	**der Stier (-e)**, bull
aufschlagen, to erect	**anzünden**, to light

19. Die Familie Becker machte ein Picknick am Ufer eines Sees in Österreich, als sie schwarze Wolken am Himmel erblickten. Was haben sie gemacht?

20. Es war Mitternacht und Hans schlief ruhig im Bett. Plötzlich aber wachte er auf und hörte schwere Schritte draußen auf der Treppe. Was machte er?

21. Deine Familie will ihre Sommerferien in Süddeutschland verbringen. Schreibe einen Brief an ein Hotel und erkläre genau, was du willst.

22. Du hast deine deutsche Brieffreundin oder deinen deutschen Brieffreund eben besucht. Erkläre, was du bei ihr/ihm gemacht hast.

23. Mr. Smith fuhr nach Deutschland, um eine Textilfirma zu besuchen. Er stieg aus dem Zug in Köln, aber niemand wartete auf ihn. Wie ist er zur Firma gekommen?

24. Du bist in einer Bank, als zwei Männer hereinstürzen. Erkläre, was geschieht.

Write an account (about 120 words) of the stories suggested by the pictures on pages 55–60.

1. A Shopping Trip to Remember

1. **völlig gelangweilt,** completely bored   **der Korb (-̈e),** basket
   tragen, to carry
2. **der Einkaufswagen,** shopping trolley   **die Frischfleischabteilung,**
   fresh meat counter   **erfreut,** pleased   **lächeln,** to smile
3. **stoßen,** to push   **die Überraschung,** surprise   **ein Berg von**
   Dosen, a pile of tins   **zusammenfallen,** to collapse
4. **die Verkäuferin,** saleswoman   **beschämt,** ashamed   **zeigen,** to
   point   **aufstapeln,** to pile up
5. **die Rechnung bezahlen,** to pay the bill   **die Kasse,** cash desk
   der Pappkarton (-s), cardboard box   **die Tragtasche (-n),** carrier-
   bag   **die Brieftasche,** wallet
6. **der Ausgang,** exit   **erschrocken,** shocked.

2. Fire!

1. **Schlange stehen,** to queue   **die Platzanweiserin,** usherette   **der**
   Zuschauerraum, auditorium
2. **die Leinwand,** screen   **die Galerie,** circle
3. **die Aufregung,** excitement   **die Flammen,** flames   **eilen,** to
   hurry   **der Ausgang (-̈e),** exit
4. **der Rauch,** smoke   **die Gefahr,** danger   **das Handtuch (-̈er),**
   handkerchief
5. **herausströmen,** to stream out   **der Feuerwehrmann (-̈er),** fireman
   die Feuerspritze, fire-engine   **die Menge,** crowd
6. **der Krankenwagen,** ambulance   **die Krankenbahre,** stretcher
   verletzt, injured.

3. The Birthday Present

1. **in guter Laune,** in good spirits   **der Roller,** scooter   **winken,**
   to wave   **der Bürgersteig,** pavement
2. **bergauf fahren,** to go uphill   **in der Ferne,** in the distance   **das**
   Vieh, cattle   **schöne Umgebung,** beautiful surroundings
3. **eine scharfe Kurve,** a sharp corner   **entsetzt,** terrified   **schreien,**
   to shout
4. **die Hecke,** hedge   **der Heuschober,** haystack   **kaputt,** broken
   das Benzin, petrol   **fließen,** to flow

5. **verschmutzt,** dirty   **mutlos,** despondent   **per Anhalter fahren,** to hitch a lift
6. **schelten,** to scold   **zornig,** angry   **das Pflaster,** plaster   **der Stirn,** forehead

4. The Thief

1. **der Tennisschläger,** tennis racket   **die Angelrute,** fishing rod **die Fernsprechzelle,** telephone kiosk
2. **Hilfe! help!   ein Dieb auf der Flucht,** a thief on the run **stehlen,** to steal   **das Warenhaus,** department store
3. **jagen,** to chase   **der Fußgänger,** pedestrian   **anrufen,** to telephone
4. **der Streifenwagen,** police car   **der Polizist,** policeman   **das Notizbuch,** notebook   **die Einzelheiten,** details   **aufschreiben,** to write down
5. **die Schallplatte,** record   **die Kabine,** booth   **zeigen,** to show, point
6. **verhaften,** to arrest   **dankbar,** grateful.

5. Capsized

1. **die Angelrute,** fishing rod   **mieten,** to hire   **die Landungsbrücke,** jetty
2. **das Motorboot,** motorboat   **in der Ferne,** in the distance
3. **die Wolke,** cloud   **erscheinen,** to appear   **die Segel,** sail **das Gewitter,** (thunder)storm   **schaukeln,** to rock about
4. **herunternehmen,** to take down   **ins Wasser fallen,** to fall in the water   **die Welle,** wave   **der Blitz,** lightning
5. **kentern,** to capsize   **stark bewegt,** rough   **hängen an,** to hang on (to)   **um Hilfe schreien,** to shout for help
6. **das Rettungsboot,** rescue launch   **ziehen,** to pull   **die Wolldecke,** blanket   **einwickeln,** to wrap up   **etwas heißes,** something hot **befestigen,** to fasten

6. The Chase

1. **einen Ausflug machen,** to go on an excursion   **die Hauptstraße,** High Street
2. **die Straßenkreuzung,** crossroads   **die Verkehrsampel,** traffic lights   **zusammenstoßen,** to collide
3. **die Windschutzscheibe,** windscreen   **die Polizeiwache,** police station   **die Richtung,** direction   **zeigen,** to point

4. **jagen,** to pursue **die Reifen,** tyres **quietschen,** to screech
5. **kurvenreich,** winding **der Traktor,** tractor **die Pfeife,** pipe
   erscheinen, to appear **das Heu,** hay
6. **der Straßenrand,** roadside **der Sack (-ë),** sack **Hände hoch!,**
   Hands up!

1. A Shopping Trip to Remember

2. *Fire!*

3. The Birthday Present

4. The Thief

5. *Capsized*

6. The Chase

PART V

PASSAGES FOR
TRANSLATION

General Notes on Translation

When translating from German into English it is always advisable
to imagine that you yourself are actually present at the scene. In this
way you can use whatever experience you have of the situation to
good advantage. Read the whole passage through first. Do not be
tempted to guess what one word means and try to fit the rest of the
sentence around this. Deal with one sentence at a time — any difficult
words will usually fall into place if you read your effort at the end
of the translation. Do try to express yourself in good English — too
many people are satisfied with a word by word translation of a
sentence, which they then write down and go on with the next,
without thinking if what they have written down is how they would
expect to read it if the passage was a section from an English book.

1. On the Zwölferhorn at Easter (i)

Der Leiter einer Gruppe von elfjährigen Schülern, die in der Nähe
von Salzburg ihre Osterferien verbrachten, sagte ihnen eines Morgens
beim Frühstück:

„Heute machen wir einen vierstündigen Ausflug auf das Zwölfer-
horn, einen Berg hier im Salzkammergut, von dem man eine gute
Aussicht auf den berühmten Ort St. Gilgen hat. Für viele von euch
ist es das erste Mal, daß ihr mit einer Seilbahn fahrt, aber ihr braucht
keine Angst zu haben. Der Bus fährt in einer halben Stunde ab".

Während der Busfahrt plauderten die Kinder aufgeregt, und als sie
in St. Gilgen ankamen, freuten sie sich fast alle auf die Fahrt mit der
Seilbahn. In kleinen Gruppen bestiegen sie die Kabinen, und die
Fahrt zum Gipfel des Berges konnte beginnen. Jedesmal wenn sie aus
den Fenstern schauten, sahen sie, wie unter ihnen alles immer kleiner

wurde, während sie sanft den Berg hinaufschwebten. Sie machten Photos und sprachen eifrig miteinander.

Bei jedem Pfeiler stieg die Kabine und senkte sich wieder, sobald sie an dem Pfeiler vorbei waren. Die Kinder holten tief Atem, sahen sich an, dann lachten sie. Tief unten lag der Wolfgangsee, und in der Ferne funkelten die schneebedeckten Gipfel der Berge.

2. *On the Zwölferhorn at Easter* (*ii*)

Die Farbe des Sees im Tal veränderte sich ständig, weil Sonne und Wolken sich über den See jagten. Auf halber Höhe konnten sie direkt unter sich die ersten Schneespuren sehen. Je höher sie kamen, desto mehr Schnee gab es. Dann war alles unter ihnen weiß, außer den hohen Föhren, die immer zahlreicher wurden.

„Es sieht wie auf einer Weihnachtskarte aus", sagte ein Mädchen zu ihrer Freundin.

„Ja", antwortete diese, „aber guck mal, da sind Skifahrer!"

Bald erschienen Skifahrer, in jedem Alter − sowohl Kinder als auch alte Damen waren darunter – die den Berg hinabfuhren.

Endlich erreichten sie den Gipfel und stiegen eilig aus den Kabinen. Weil die Luft so klar und trotzdem nicht zu kalt war, fühlten sie sich sehr wohl. Sie bewarfen sich mit Schneebällen und tummelten sich im Schnee. Dann sagte der Lehrer:

„Ich muß euch warnen. Geht nicht zu weit weg von dieser Stelle, der Schnee ist an manchen Stellen sehr tief und daher manchmal gefährlich, besonders wenn ihn noch niemand betreten hat. Ihr habt eine Stunde hier, bevor wir hinunter fahren".

Die Schulkinder liefen überall wie wild umher, einige gingen ins Gasthaus, andere setzten sich auf die Bänke und bewunderten die herrliche Aussicht. Sie schrien, jagten sich herum und sangen Lieder. Bei der Rückfahrt waren sie in so guter Laune, daß sie ihre Angst vergaßen, als die Kabinen bergab fuhren.

3. *Winter*

Während der letzten Woche war das Wetter allmählich kälter geworden. Jetzt waren die warmen Sommertage nur noch Erinnerung, die Badeanzüge kamen in den Schrank, und die Leute holten ihre dicken Wollmäntel heraus.

Dann war über Nacht der erste Schnee gefallen. Als sich die Bewohner des Alpendorfes den Schlaf aus den Augen rieben, erschien ihnen das Zimmer heller als gewöhnlich. Sie zogen die Vorhänge zurück und blickten, wie in jedem Jahr, mit Erstaunen auf die malerische Landschaft. Überall lag Schnee, und die Sonne schien aus einem wolkenlosen Himmel.

Einige Frühaufsteher wanderten lautlos die Hauptstraße entlang, und schon waren einige Kinder im Freien, die sich begeistert mit Schneebällen bewarfen oder die Schlitten hervorholten, deren Kufen vom letzten Winter noch etwas rostig waren.

Auf den Hügeln fuhr man schon Ski, und in den Gärten bauten die Kinder riesengroße Schneemänner. Aufgeregt zwitschernd flogen die Vögel umher und suchten Futter. Sie und die alten Menschen im Dorf waren die einzigen, die über den wunderbaren Anblick nicht glücklich waren.

4. *The Tramp*

Seine Füße taten ihm weh, seine Beine waren schwer wie Blei, deshalb wollte er sehr gerne ins kleine Dorf im nächsten Tal kommen. Der alte Mann, den er unterwegs getroffen hatte, hatte ihm gesagt, daß er es am schnellsten erreichen würde, wenn er auf derselben Straße weiterginge. Inzwischen war er jedoch schon einige Kilometer gewandert.

Er hatte sich früh am Morgen auf den Weg gemacht. Er kannte kein Zuhause, seine Kleider waren zerlumpt und zerrissen, und der kleine schäbige Beutel, den er über der Schulter trug, war alles, was er besaß. Er war von der Güte der Menschen abhängig, um dieses Leben, das er gewählt hatte, weiterführen zu können.

Manchmal machte er für die Leute kleine Arbeiten und dafür bekam er gewöhnlich Essen oder Geld, aber niemals beides. Wenn im Winter das Wetter schlecht war, schlief er in Scheunen, oder wenn er in der Stadt war, in den Ruinen alter Häuser. Im Sommer konnte er im Freien übernachten, aber dort wurde er oft von Regenschauern oder von Polizisten aufgeweckt. Es war ein sehr einsames Leben, doch er kannte und wollte kein anderes.

5. *Capsized* (i)

„Danke schön", sagten Peter und Christoph zum Bootsvermieter, als sie ins kleine Segelboot einstiegen, um den letzten Tag ihrer Ferien beim Fischen auf dem Bodensee zu verbringen.

„Paßt auf den Wind auf", warnte sie der Bootsvermieter, „augenblicklich gibt es keinen, aber in dieser Gegend kann ein Sturm schnell aufkommen".

„Das wissen wir", sagte Christoph, „hoffentlich werden wir heute Glück haben. Auf Wiedersehen".

Dann segelten sie langsam in die Mitte des Sees und fingen an zu fischen.

Alles war still und die Ruhe wurde nur von dem leichten Plätschern des Wassers gegen den Bug des Bootes unterbrochen. Nach einer halben Stunde rief Peter aus:

„Ich habe einen Fisch gefangen!"

Er zog ihn langsam an die Seite des Bootes heran, dann sagte er enttäuscht:

„Schade, daß er so klein ist" und warf ihn wieder ins Wasser zurück.

Nachdem sie eine Weile gefischt hatten, sagte Christoph:

„Ich glaube, daß der Wind stärker wird".

„Ja", erwiderte Peter, „es ist besser, wir segeln zurück".

Doch der Wind veränderte dauernd seine Richtung, die Wellen wurden immer höher und schlugen gegen die Seiten des Bootes, bis sie schließlich ins Boot kamen. Die beiden Jungen hatten Angst.

6. *Capsized* (ii)

„Laß das Segel herunter", schrie Peter, „ich werde die Ruder nehmen".

Das Boot schaukelte auf dem Wasser wie eine Nußschale. Peter ruderte, so gut er konnte, in Richtung des schweizerischen Ufers, doch es schien nicht näher zu kommen. Christoph versuchte mit einem Eimer, das Wasser auszuschöpfen, doch umsonst. Es begann heftig zu regnen, der starke Wind heulte, und die Wellen wurden so hoch, daß es unmöglich war, zu rudern.

Die beiden Jungen saßen verängstigt da und hielten sich an der Seite des Bootes an. Sie waren völlig durchnäßt und froren sehr. Plötzlich schlug das Boot um, und sie wurden ins tiefe Wasser geworfen! Als sie wieder auftauchten, war das Boot zehn Meter entfernt und umgeworfen.

Sie schwammen schnell zu ihm hinüber und Peter schrie:

„Hoffentlich kommt bald jemand, mir ist so kalt . . .".

Doch da unterbrach ihn Christoph:

„Still, ich höre etwas kommen!"

Gleich darauf erschien ein großes Motorboot, und starke Hände fischten die Jungen aus dem Wasser.

„Ihr habt Glück gehabt", sagte der Kapitän, „wir haben euch vor einer Viertelstunde gesehen und haben gedacht, daß ihr in Schwierigkeiten kommen werdet".

„Vielen Dank", antwortete Peter, der immer noch vor Kälte zitterte. Die Jungen zogen die nassen Kleider aus und wickelten sich in warme Wolldecken, während der Kapitän heiße Suppe kochte. Sie waren sehr müde.

7. *The Sick Boy* (*i*)

Es war ein regnerischer Morgen. Helga, die siebzehnjährige Tochter der Familie Becker, frühstückte schon, denn sie mußte pünktlich um sieben Uhr jeden Morgen das Haus verlassen, um den Bus zu erreichen, der sie zur Arbeit brachte. Nur Karl, der sechs Jahre jünger war als sie, lag noch im Bett. Seine Mutter rief von der Küche aus:

„Karl, steh doch auf, es ist zehn vor sieben".

Da er aber nicht antwortete, ging sie nach oben.

„Was ist denn los?" fragte sie.

„Ich fühle mich nicht wohl", stöhnte er.

„Was hast du denn?"

„Starke Bauchschmerzen und dazu noch Kopfweh", erwiderte er.

Seine Mutter fühlte ihm den Puls und meinte: „Ich glaube, es ist besser, wenn du heute nicht in die Schule gehst. Ich muß jetzt arbeiten gehen, bin aber am Nachmittag zurück".

Damit ging sie die Treppe hinunter und ging zur Bäckerei in der Mitte der Stadt, wo sie arbeitete.

Karl wartete eine Viertelstunde, dann stand er auf und zog sich schnell an! Er ging leise die Treppe hinunter und schlich, mit der Angelrute unter dem Arm, durch die Hintertür zum Fluß.

8. *The Sick Boy* (*ii*)

Um halb eins hatte er noch nichts gefangen, dann fiel die Angel plötzlich vom Ufer ins Wasser. Er versuchte, sie zu greifen, stürzte aber Hals über Kopf in den Fluß.

Völlig durchnäßt und zitternd lief er nach Hause, zog sich schnell aus und war gerade ins Bett geschlüpft, als er seine Mutter die Haustür aufschließen hörte. Als sie eintrat, bemerkte sie nasse Stellen auf der Treppe. Sie ging sofort nach oben, stand vor Karls Bett und fragte streng:

„Karl, bist du aufgestanden?"

„Ja, Mutti", antwortete er, „ich bin nach unten gegangen, weil jemand an der Tür geklopft hat".

Da mußte er niesen, und seine Mutter erblickte seine nassen Kleider, die er hastig hinter den Kleiderschrank geworfen hatte.

„Karl, warum sind deine Kleider dann naß? Wo bist du gewesen?"

Zitternd vor Kälte erzählte er ihr, was geschehen war.

„Das geschieht dir recht", sagte sie und verließ schnell das Zimmer, dabei schlug sie die Tür hinter sich zu. Karl fing an zu weinen und bedauerte seinen dummen Streich.

9. *Accident in the Town Centre*

Herr Jäger war sehr stolz auf seinen nagelneuen Volkswagen, den er beim Autohändler in der Hauptstraße gekauft hatte. Dieser hatte ihm einen guten Preis für seinen alten Wagen geboten, deshalb war Herr Jäger sehr zufrieden.

Als er langsam aus der Innenstadt fuhr, sah er etwa hundert Meter entfernt einen Polizisten, der den Verkehr regelte. Herr Jäger bremste, hielt an, wurde aber plötzlich nach vorne gegen die Windschutzscheibe geworfen. Der Fahrer des Buses hinter ihm hatte die hübschen Mädchen in Miniröcken bewundert und hatte zu spät gebremst. Der Polizist ging langsam auf den Bus zu, nahm sein Notizbuch heraus und sagte zum Busfahrer:

„Steigen Sie aus!"

Der Fahrer stieg aus, dann fuhr der Polizist fort: „Haben Sie denn nicht gebremst?"

„Doch!" erwiderte der Busfahrer, „aber der Autofahrer hat zu plötzlich gehalten".

„Unsinn!" antwortete der Polizist ruhig.

„Ja", unterbrach ihn einer der Fußgänger, der alles gesehen hatte, „er paßte nicht auf, er blickte nach den Mädchen auf dem Bürgersteig".

In diesem Augenblick stieg Herr Jäger aus seinem Auto aus und sah mit Entsetzen das demolierte Heck seines Fahrzeugs — der Motor hatte auch Schaden. „Mein neuer Wagen", seufzte er, „was wird meine Frau dazu sagen?"

10. *First Flight*

Es war Herrn Schröders erster Besuch im Ausland. Der Direktor seiner Firma hatte ihm vor zwei Tagen gesagt:

„Waren Sie je in England?"

„Nein", antwortete Herr Schröder, „aber . . .".

„Gut", unterbrach ihn der Direktor. „Übermorgen fahren Sie nach England, um über ein neues Geschäft in London zu verhandeln. Hier sind die Unterlagen – alles steht klar darin, aber sprechen Sie zuerst mit Herrn Maier vom Auslandsdienst, er weiß alles besser als ich. Gute Reise".

Herr Schröder stand in der Abflughalle des Kölner Flughafens und erinnerte sich an diese Unterhaltung. Er war ein wenig ängstlich, weil er nie vorher geflogen war. Dann ging er mit den anderen Fahrgästen über die Rollbahn zur startbereiten Lufthansa-Maschine. Drinnen fand er einen Fensterplatz. Dann drehte er sich zur Stewardeß:

„Bitte, ich weiß nicht, wie man den Sitzgurt anschnallt":

Die Stewardeß lächelte und half ihm dabei.

„Sie fliegen zum ersten Mal?" fragte sie.

„Ja", antwortete er nervös.

Kurz danach waren sie in der Luft; er kaufte einige zollfreie Zigaretten und machte es sich in seinem Sitz gemütlich. Die Sonne schien auf die Wolken unter ihm, aber schon nach einer Stunde begann das Flugzeug wieder langsam abzusteigen. Als es landete, hielt Herr Schröder einen Augenblick seinen Atem an, dann schnallte er seinen Sitzgurt ab. Er ging durch den Zoll und am Ende der Halle wurde er vom Direktor der englischen Firma empfangen.

11. The Ghost

Heinrich saß beim Abendessen mit seinem reichen Onkel und seiner Tante. Es war sein erster Besuch im Schloß auf dem Lande, und sein Onkel erzählte ihm etwas über die Geschichte des Gebäudes.

„Wir haben sogar ein Gespenst", sagte er stolz.

Heinrich lachte: „Ich glaube nicht an Gespenster, ich habe keine Angst".

„Wir haben es noch nicht gesehen", sagte seine Frau, „aber wir haben oft seltsame Geräusche gehört".

Dann plauderten sie weiter und vergaßen das Gespenst.

Kurz vor Mitternacht sagte Heinrich „Gute Nacht" und ging die Treppe hinauf, als er ein furchtbares Heulen hörte. „Es wird der Wind sein", sagte er zu sich und betrat das Schlafzimmer. Etwa um zwei Uhr wurde er von einem Geräusch, das wie Kettengerassel klang, wieder aufgeweckt. Hellwach setzte er sich aufrecht im Bett, dann ging er langsam zur Tür, öffnete sie und sah am anderen Ende des dunklen Flurs eine weiße Gestalt!

Sie kam näher. Er blieb stehen und starrte die Gestalt an. Seine Knie zitterten, aber er versuchte, Mut zu fassen. Das Gespenst kam immer näher auf ihn zu. Langsam drehte er den Kopf und sah es durch die Wand auf der anderen Seite des Flurs gehen. Dann fiel er ohnmächtig zu Boden.

12. *The Return*

Nach dem Tode seiner Eltern war Johannes nach Australien ausgewandert. Zwanzig Jahre später kehrte er wieder nach Deutschland zurück, um seine einzige Schwester zu besuchen. Das Flugzeug landete früh am Morgen auf dem Frankfurter Flughafen, und nach einem schnellen Imbiß begann die zweistündige Zugreise in seine Heimatstadt. Unterwegs versuchte er, die Landschaft zu erkennen, aber umsonst.

Dann fuhr der Zug in den Bahnhof ein. Er stieg aus, ging durch die Sperre auf die Straße hinaus, blieb einen Augenblick stehen und blickte staunend auf das neu erbaute Stadtzentrum. Die malerische alte Kirche stand noch da, aber sie war jetzt von Hochhäusern aus Glas und Beton umgeben.

„Entschuldigen Sie bitte", sagte er zu einem vorbeigehenden Fußgänger, „wo ist die Bushaltestelle?"

„Gleich hier links", erwiderte dieser freundlich.

„Danke schön", sagte Johannes und ging in diese Richtung.

Während der kurzen Fahrt sah er zum Fenster hinaus. Alles war ihm fremd geworden. An der Endstation stieg er aus. Er war ganz nervös – noch zweihundert Meter und er wurde zu Hause sein! Er kam zur Haustür und klingelte.

Zitternd stand er da. Die Tür wurde von einer Frau geöffnet.

„Guten Tag . . . Ach Johannes!!! Du bist es! Komm doch schnell rein! Ich kann es noch gar nicht glauben . . .!"

13. *Midnight in the City*

Eine Großstadt schläft nie; im Gegenteil, sie scheint lebendiger zu werden, wenn die Nacht hereingebrochen ist. Fußgänger sehen unter den flimmernden Neonlichtern bleich und unnatürlich aus. In den Nachtklubs ist ein ständiges Kommen und Gehen. Die Spätvorstellungen in den Kinos sind gerade zu Ende gegangen, und das Publikum strömt heraus: Verliebte schlendern Arm in Arm den Bürgersteig entlang, ohne zu sprechen und ohne darauf zu achten, wohin sie gehen. Ein Auto, das viel zu schnell fährt, kommt mit quietschenden

Reifen um eine Ecke, von einem Polizeiwagen gefolgt. Jeder blickt einen Augenblick auf und setzt dann seinen Weg fort.

Aber in den Seitenstraßen ist alles ganz anders, denn dort herrscht völlige Stille. Die wenigen Lichter beleuchten nur einen Teil der Straße, und nach der Helle des Stadtzentrums scheint dies eine andere Welt zu sein. Ein Betrunkener wankt nach Hause und hält sich so nah an der Mauer, wie er kann. Ein Hund bellt, und der Betrunkene hält inne, als er dieses vertraute Geräusch hört. Ein Streifenwagen fährt langsam die Straße hinunter und verschwindet in der Dunkelheit.

Das ist eine Großstadt um Mitternacht — zwei Welten in einer.

14. *Shopping in the Supermarket* (*i*)

„Seid ihr schon alle fertig?" rief Frau Völker, als sie ihren Mantel anzog.

„Ja", antwortete die Kinder.

Herr Völker aber stöhnte. Es war Samstagmorgen und die Familie wollte ihre Einkäufe in dem neu eröffneten Supermarkt machen. Deshalb war der Vater nicht sehr glücklich — er mußte mit seiner Frau gehen, um auf die beiden Kinder aufzupassen: auf Hermann, der fünf Jahre alt war, und auf Karin, seine zweijährige Tochter.

Sie fuhren mit dem Auto in die Stadt und parkten in der Tiefgarage, die unter dem Supermarkt gebaut worden war. Beim Betreten des Supermarkts nahm Frau Völker einen Einkaufswagen und setzte das kleine Mädchen auf den Kindersitz.

„Darf ich einen Drahtkorb nehmen?" fragte Hermann.

„Ja", antwortete seine Mutter, „und du kannst mir etwas Butter und Tee holen".

Stolz verschwand er um die Ecke. Herr Völker schob langsam den Einkaufswagen, sagte aber nichts — er war völlig gelangweilt. Seine Frau stand Schlange an dem Fleischstand, er dagegen ging weiter.

Plötzlich hörte er eine Stimme hinter ihm:

„Warte doch!" sagte seine Frau zornig, „lauf mir nicht davon!"

Allerlei Dosen und Pakete füllten schon den Wagen, und Hermanns Korb war nun sehr schwer geworden.

15. *Shopping in the Supermarket* (*ii*)

Eine halbe Stunde später war Frau Völker noch nicht mit dem Einkaufen fertig.

„Wie lange dauert es denn noch?" fragte ihr Mann ungeduldig.

„Ich habe einige Sachen vergessen", antwortete sie kurz.

„Du meine Güte!" sagte Herr Völker, drehte sich plötzlich um und stieß mit dem Einkaufswagen gegen eine Dame, die hinter ihm stand. Sie fiel gegen einen Berg von aufgestapelten Dosen, der sofort zusammenfiel, und alle Dosen rollten durcheinander!

Herr Völker wurde sehr rot. Karin starrte ihn erstaunt an, dann begann sie zu lachen.

„Sei still!" ermahnte sie ihre Mutter. „Gott, bist du ungeschickt! Hilf der Dame doch!" rief sie ihrem Mann zu.

„Ja", stammelte er. „Bitte entschuldigen Sie", sagte er zu der Dame und half ihr.

Die Dame sagte zunächst nichts, dann sah sie aber Herrn Völker an — und lachte! Tränen strömten ihr aus den Augen, schließlich aber erklärte sie:

„Ich wollte schon immer einen solchen Haufen umstoßen — vielen Dank".

Herr Völker lächelte, dann sammelte er die Dosen, und mit der Hilfe einer Verkäuferin wurde der Berg wieder aufgebaut.

Die Familie ging jetzt schnell an die Kasse, und Karin half ihrer Mutter, die Pakete auf den Kassentisch zu legen. Alles wurde in Pappkartons und Tragtaschen gepackt, Herr Völker bezahlte die Rechnung, und sie verließen alle den Supermarkt.

„Diesmal war es nicht so langweilig", sagte Herr Völker und lachte.

PART VI

OBJECTIVE AND MULTIPLE CHOICE TESTS

General Notes

Two type of multiple choice tests are included in this section. In the first type (also known as objective tests) you are simply given a question to answer or a sentence to complete. You have four possibilities to choose from, marked A, B, C and D, and you must select the answer or completion you think most appropriate.

In the second type you have a passage which must be read very carefully before you attempt to answer the questions which follow. Each statement or question again has four alternative answers, and here you must choose the one which you think is right going by the information given in the text (although a few of the questions also test general knowledge).

In each case, you should simply write down the number of the question and the letter printed before the right alternative, unless your teacher prefers some other method.

In both sections (particularly the first one) some background knowledge of Germany and Austria is required.

OBJECTIVE TESTS

In the following sentences four choices are given to complete the sentence or answer the question. Select the one which you think correct or most suitable.

Test 1

1. Wo hat man einen Kleiderschrank?
   A. Im Wohnzimmer.   C. In der Küche.
   B. Im Eßzimmer.   D. Im Schlafzimmer.
2. Die Blätter werden grün
   A. einmal in der Woche. C. im Frühling.
   B. im Herbst.   D. am Anfang des Monats.

71

3. Was ist eine Börse?
   A. Eine zornige Mutter.   C. Ein seltenes Geschenk.
   B. Ein Beutel für Geld.   D. Eine Haarbürste.

4. Wenn man einen Spaziergang auf dem Lande macht, trägt man
   A. einen Wanderstock.   C. keine Schuhe.
   B. ein Alpenhorn.   D. seinen Reisepaß.

5. Kinder tragen ihre Schulbücher
   A. in einer Schultüte.   C. wenn sie in der Turnhalle sind.
   B. niemals in der Schule.   D. in einer Schulmappe.

6. Hamburg ist
   A. die Hauptstadt der Bundesrepublik.   C. eine Hansestadt.
   B. berühmt wegen seines Weins.   D. südlich von Bayern.

7. Das Brandenburger Tor ist weltberühmt; es ist in
   A. Berlin.   B. Bremen.   C. Düsseldorf.   D. Wien.

8. Zwei deutsche Städte sind achtzig Kilometer voneinander entfernt.
   In England ist dieselbe Strecke
   A. vierzig Meilen.   C. sechzig Meilen.
   B. hundert Meilen.   D. fünfzig Meilen.

9. Was gibt dir der Kellner zuerst im Restaurant?
   A. Ein Trinkgeld.   C. Eine Ansichtskarte.
   B. Eine Speisekarte.   D. Die Rechnung.

10. Um Fleisch zu kaufen, geht man
    A. in die Apotheke.   C. in die Molkerei
    B. ins Obstgeschäft.   D. in die Metzgerei.

Test 2

1. Wo siehst du eine Verkehrsampel?
   A. In einer Konditorei.   C. An der Straßenkreuzung.
   B. Neben der Eisenbahn.   D. In einem Schaufenster.

2. Eine Verkäuferin arbeitet
   A. hinter dem Ladentisch.   C. im Bahnhof.
   B. auf der Straße.   D. für die Regierung.

3. Wenn wir im Ausland sind, schicken wir unseren Verwandten
   A. Ansichtskarten.   C. Fahrkarten.
   B. ausländische Speisekarten.   D. Rückfahrkarten.

4. Woher kommen die meisten Kuckucksuhren?
   A. Aus dem Schwarzwald.   C. Aus Tirol.
   B. Aus Frankfurt am Main.   D. Aus München.

5. Die Zugspitze ist
   A. ein Schnellzug.
   B. Deutschlands höchster Berg.
   C. ein See im Schwarzwald.
   D. ein weltberühmtes deutsches Bier.
6. Die Schule beginnt um acht Uhr. Wenn du um viertel nach acht
   ankommst, wirst du
   A. zu früh kommen.   C. zu spät kommen.
   B. pünktlich sein.   D. Glück haben.
7. Gestern war Mittwoch; was ist übermorgen?
   A. Dienstag.   B. Donnerstag.   C. Freitag.   D. Samstag.
8. Brigitte trägt teuere Kleider; ihre Eltern sind
   A. reich.   B. berühmt.   C. blödsinnig.   D. arm.
9. Nachdem du aufgestanden bist
   A. schnarchst du.   C. gehst du zu Bett.
   B. wäscht du dich.   D. schläfst du ein.
10. Man fährt sehr langsam,
    A. wenn die Sonne scheint.   C. auf dem Lande.
    B. in einem Sportwagen.   D. wenn es neblig ist.

Test 3

1. Es regnet stark; man trägt
   A. einen Regenbogen.   C. eine Sonnenbrille.
   B. einen Badeanzung.   D. einen Regenschirm.
2. Um dich zu waschen, brauchst du
   A. ein Taschentuch.   B. Seife.   C. Zucker.   D. Zahnpasta.
3. Was ist Blumenkohl?
   A. Ein Gemüse.   C. Ein Obst.
   B. Eine herrliche Blume.   D. Eine Art Heizung.
4. Du hast 100,000 Mark gewonnen. Du bist
   A. außer dir vor Furcht.   C. sehr traurig.
   B. überglücklich.   D. ärmer als vorher.
5. Wo findet man eine Tankuhr?
   A. An einer Kirchmauer.   C. Im Klassenzimmer.
   B. In einem Auto.   D. In der Tasche.
6. Du hast deine Schularbeiten nicht geschrieben. Was geschieht?
   A. Der Lehrer ist erfreut.
   B. Du mußt nachsitzen.
   C. Du mußt die Schule verlassen.
   D. Der Lehrer kann dir eine gute Note geben.

7. Der Kurfürstendamm ist in
   A. Köln.   B. den Alpen.   C. Berlin   D. München.
8. Man kauft Souvenirs
   A. auf der Reise ins Ausland.   C. in seiner Heimatstadt.
   B. in einem Andenkenladen.   D. am Bahnhof.
9. Während der Hauptverkehrszeit gibt es
   A. sehr viele Autos auf den Straßen.
   B. keine Wolken am Himmel.
   C. viele Straßenkehrer.
   D. fast niemand auf der Straße.
10. Wer war Goethe?
    A. Ein großer Dichter.   C. Ein Schauspieler.
    B. Ein Kriegsschiff.   D. Ein deutscher Fußballspieler.

Test 4

1. Was ist Peters Lieblingsgemüse?
   A. Eine Kirsche.   B. Kalbfleisch.   C. Kohl.   D. Fisch.
2. Man läßt sich die Haare schneiden
   A. beim Schneider.   C. beim Friseur.
   B. im Supermarkt.   D. wenn man kahl ist.
3. Um ein Auto zu fahren, muß man
   A. eine Strafe zahlen.   C. vierzehn Jahre alt sein.
   B. eine Landkarte kaufen.   D. einen Führerschein haben.
4. Wien, die Hauptstadt von Österreich, liegt
   A. an der Donau.   B. am Rhein.   C. am Main.   D. an der Weser.
5. Bevor man die Schule verläßt,
   A. besteht man eine Prüfung.
   B. muß man eine Stellung haben.
   C. muß man achtzehn Jahre alt sein.
   D. öffnet man das Schultor.
6. Wer spielt in einer Fußballweltmeisterschaft?
   A. Schulkinder.
   B. Mannschaften aus allen Ländern.
   C. Die Mannschaften der Bundesliga.
   D. Schachspieler.
7. Was ist ein Dirndl?
   A. Ein Kleid, das man in Bayern und Österreich sieht.
   B. Eine alte deutsche Münze.
   C. Ein kleines Haus.
   D. Eine Art Badeanzug.

8. Können Sie eine Zehnmarknote wechseln?
    A. Ja, ich habe viele Zehnmarknoten.
    B. Ja, ich zahle keine Einkommenssteuer.
    C. Ja, ich habe hundert Pfennige.
    D. Ja, ich habe Kleingeld.

9. Die Reeperbahn ist in:
    A. München.   B. Köln.   C. Hamburg.   D. Bayern

10. Mutti braucht einen Staubsauger
    A. um eine Mahlzeit zu bereiten.
    B. wenn ihr Sohn krank ist.
    C. um die Zimmer sauber zu machen.
    D. wenn sie durstig ist.

Test 5

1. Was ist eine Münze?
    A. Ein Geldstück.   C. Eine Pille.
    B. Ein Hut.   D. Ein Loch im Kopf.

2. Wohin gehst du, um dir ein Buch zu leihen?
    A. In eine Bibliothek.   C. In einen Buchenwald.
    B. In eine Verlagsanstalt.   D. In eine Buchhandlung.

3. Was ist ein Kindergarten?
    A. Ein Spielplatz für Kinder.
    B. Ein Garten, worin Kinder spielen.
    C. Eine Schule für sehr junge Kinder.
    D. Eine Schule für Erwachsene.

4. Was sind die Farben der deutschen Fahne?
    A. Grün, schwarz und rot.   C. Weiß, rot und blau.
    B. Gelb, schwarz und weiß.   D. Schwarz, rot und gelb.

5. Man fährt von Köln nach Bonn
    A. in nördlicher Richtung.   C. in westlicher Richtung.
    B. in südlicher Richtung.   D. in östlicher Richtung.

6. Wenn man krank ist, besucht man
    A. eine Entbindungsanstalt.   C. den Friedhof.
    B. den Arzt.   D. den Metzger.

7. Wir kaufen eine Fahrkarte
    A. am Schalter.   C. von einem Zollbeamten.
    B. am Zeitungskiosk.   D. von einem Gepäckträger.

8. Was ist Edelweiß?
   A. Eine Stadt in den Alpen.
   B. Eine weiße Blume.
   C. Ein österreichischer Vorname.
   D. Der Name eines weltberühmten Gutsherrn.
9. Du hast etwas verloren. Wohin gehst du sofort?
   A. Ins Fundbüro.   C. In die Bibliothek.
   B. Ins Rathaus.   D. Ins Krankenhaus.
10. Wenn du einen Laden betrittst, sagt der Verkäufer:
   A. Vielen Dank, auf Wiedersehen.
   B. Kann ich Ihnen behilflich sein?
   C. Zwei Stück Käse, bitte.
   D. Wir haben leider geschlossen.

PASSAGES WITH MULTIPLE CHOICE QUESTIONS

1. Auf dem Weg zur Genesung

Peter hatte drei Wochen im Krankenhaus verbracht, da er beim Fußballspiel sein linkes Bein gebrochen hatte. Die ersten Paar Tage hatte es ihm ganz gut gefallen, abgesehen von dem Schmerz, den er gelegentlich in seinem Bein spürte. Er hatte mit zwei anderen Jungen Freundschaft geschlossen, die auch etwas gebrochen hatten. Sie teilten die Schokolade, Bonbons und Trauben, die ihre Besucher mitbrachten. Sie amüsierten sich beim Kartenspiel und spielten oft den Krankenschwestern Streiche. Das Essen schmeckte Peter ausgezeichnet, und jeden Abend bekam er Besuch, entweder von seinen Eltern und seiner Schwester oder von seinen Schulkameraden — am zweiten Abend kam sogar seine Freundin! Als sie mit Peters Mutter hereintrat, errötete Peter, aber sobald die jungen Verliebten allein waren, gab es so viel zu sagen, daß die Zeit sehr schnell verging.

In letzter Zeit jedoch begann er sich zu langweilen, bis heute, als die Krankenschwester zu ihm sagte:

„Morgen darfst du heim! Freust du dich?"

„Das ist ja wunderbar", rief Peter aus, „aber wie lange muß ich mein Bein in Gips haben?"

„Wahrscheinlich noch einen Monat", entgegnete die Krankenschwester. „Aber du kannst daheim wenigstens vieles tun, was du hier nicht tun kannst".

„Wann dürfen Johann und Udo heim?" fragte er plötzlich.

„Das wissen wir noch nicht", erwiderte die Krankenschwester. Die beiden Jungen sahen sehr enttäuscht aus.

Am nächsten Tag wurde Peter von einem Krankenwagen heimgebracht und bald lag er in seinem Bett, das sein Vater ins Wohnzimmer heruntergebracht hatte.

„So muß Mutter nicht dauernd die Treppe hinaufgehen", sagte er, „und abends kannst du fernsehen".

„Vielen Dank", sagte Peter. „Ach, es ist schön, wieder daheim zu sein! Was gibt es zum Mittagessen?"

77

1. Warum war Peter im Krankenhaus?
   A. Um seine kranke Schwester zu besuchen.
   B. Weil ihm eine Biene gestochen hatte.
   C. Um seine zwei Kameraden zu untersuchen.
   D. Weil er das Bein gebrochen hatte.

2. Woran litt er von Zeit zu Zeit?
   A. Er litt an Schmerzen.
   B. Er spielte Karten.
   C. Er las ein Buch.
   D. Er sprach mit seinen neuen Kameraden.

3. Die zwei anderen Jungen
   A. besuchten ihn jeden Abend.
   B. hatten auch etwas gebrochen.
   C. spielten für Peters Mannschaft.
   D. hatten ihm das Bein gebrochen.

4. Um die Zeit glücklich zu verbringen,
   A. streichelten die Jungen die Krankenschwestern.
   B. spielten die Jungen Karten.
   C. schrieben die Jungen Karten.
   D. schliefen die Jungen den ganzen Tag.

5. Was geschah jeden Abend?
   A. Die Jungen hatten Besucher.
   B. Peters Freundin besuchte ihn.
   C. Die Krankenschwestern spielten Streiche.
   D. Die Jungen aßen ständig von 7 Uhr bis 11 Uhr.

6. Warum errötete Peter eines Abends?
   A. Weil eine Krankenschwester ihn waschen mußte.
   B. Weil seine Mutter ihn küßte.
   C. Weil seine Freundin ihn besuchte.
   D. Weil seine Hose zur Erde fiel.

7. Peters Bein war in Gips
   A. drei Wochen.   C. noch drei Wochen.
   B. den Rest seines Lebens. D. drei Monate.

8. Peter wollte auch wissen,
   A. warum er nach Hause gehen mußte.
   B. warum seine Freunde enttäuscht waren.
   C. ob seine Freunde auch heimgehen dürften.
   D. ob er länger im Krankenhaus bleiben dürfte.

9. Zu Hause stand sein Bett im Wohnzimmer,
   A. weil er kein eigenes Zimmer hatte.
   B. damit seine Mutter nicht ständig nach oben gehen mußte.
   C. damit er aus dem Fenster sehen konnte.
   D. weil er wieder daheim war.

10. Wann wurde er heimgebracht?
    A. Am Morgen.   C. Am Nachmittag.
    B. Mit dem Krankenwagen.   D. Am Abend.

2. Die kranke Inge

Inge wachte auf mit heftigen Kopfschmerzen, und ihre Arme und Beine waren schwer wie Blei. Ihre Augen brannten, und als sie ihre Mutter ins Schlafzimmer rufen wollte, merkte sie, daß ihr Hals ganz rauh war und sie fast kein Wort herausbrachte. Ihre Mutter kam herein und wollte sie wecken.

„Inge, aufstehen! Es ist höchste Zeit. Schon zehn vor sieben!"

„Mutti, du, ich glaube, ich kann heute nicht in die Schule gehen".

„Was ist dir denn, mein Kind?"

Aber ihre Mutter brauchte sie nur zu sehen. da wußte sie auch schon, was mit ihr los war.

„Du hast ja einen ganz roten Kopf! Tut dir etwas weh? Du hast bestimmt Fieber! Ich will dir gleich einmal Fieber messen. Und dann rufe ich sofort Dr. Schmidt an"

Sie kam mit dem Fieberthermometer.

„Hier Kind, nimm es 10 Minuten in die Achselhöhle und gib acht, daß es nicht herausfällt!" Inge hatte ziemlich hohes Fieber: 39,5 Grad.

„Du scheinst eine richtige Grippe zu haben. Ich werde zuerst einmal den Arzt anrufen, und dann schreibe ich auch gleich eine Entschuldigung für die Schule. Wenn Jutta vorbeikommt, kann ich sie ihr gleich mitgeben".

Der Arzt kam gegen elf. „Dich hat es ziemlich erwischt, Inge, du hast eine böse Grippe"

„Kann ich am nächsten Montag wieder in die Schule gehen, Herr Doktor?"

„Tut mir leid, mein Kind, aber unter vierzehn Tagen wird es nicht gehen. Vor allem Bettruhe ist wichtig. Und du willst keinen Rückschlag bekommen. Ich komme am nächsten Dienstag noch einmal vorbei und schaue, wie es dir geht".

Das Traurige an der Sache war, daß Inges Klasse in der kommenden Woche eine Fahrt an den Rhein unternehmen wollte, auf die sich alle schon lange freuten. Die würde ja nun für Inge ins Wasser fallen.

1. Wie war Inge, als sie aufwachte?
   A. Sie war froh, weil es Freitag war.
   B. Ihre Beine und Arme waren aus Blei gemacht.
   C. Ihre heftigen Kopfschmerzen waren verschwunden.
   D. Sie fühlte sich gar nicht wohl.

2. Was versuchte sie zu tun?
   A. Sie versuchte aufzustehen.
   B. Sie versuchte kein Wort herauszubringen.
   C. Sie versuchte ihre Mutter zu rufen.
   D. Sie versuchte weiterzuschlafen.

3. Inges Mutter kam ins Schlafzimmer,
   A. um ihre Tochter zu wecken.
   B. weil Inge sie gerufen hatte.
   C. weil es schon halb sieben war.
   D. um ihren Mann zu wecken.

4. Inge sollte aufstehen,
   A. weil sie einen sehr roten Kopf hatte.
   B. um in die Schule zu gehen.
   C. um ihrer Mutter beim Einkaufen zu helfen.
   D. weil ihre Mutter wußte, daß ihr nichts weh tat.

5. Wie sprach Inges Mutter mit Dr. Schmidt?
   A. Durch das offene Fenster.
   B. In seiner Sprechstunde.
   C. Am Telefon.
   D. Während Inge das Thermometer in dem Mund hatte.

6. Inge nahm das Fieberthermometer
   A. aus dem Mund ihrer Mutter.   C. von Dr. Schmidt.
   B. in den Mund.   D. in die Achselhöhle.

7. Wer war Jutta?
   A. Sie war Dr. Schmidts Frau.
   B. Sie war Frau Schmidts Nachbarin.
   C. Sie war Inges Lieblingssängerin.
   D. Sie war Inges Schulkameradin.

8. Inges Mutter schrieb eine Entschuldigung,
   A. weil sie unartig gewesen war.
   B. um sich zu entschuldigen.
   C. damit die Schule wußte, warum Inge abwesend war.
   D. weil Inge wieder gesund war.

9. Während der nächsten zwei Wochen
   A. mußte Inge zu Hause bleiben.
   B. kam der Arzt täglich.
   C. bekam Inge immer mehr Rückschläge.
   D. ging Inge täglich in die Schule.

10. Warum war Inge wirklich traurig?
    A. Weil sie ständige Rückschläge bekam.
    B. Weil sie letzte Woche in den Rhein gefallen war.
    C. Weil sie an der Rheinfahrt nicht teilnehmen durfte.
    D. Weil der Arzt sehr häßlich war.

3. Achtung Radar!

Immer mehr Unfälle geschehen auf den deutschen Straßen durch überhöhte Geschwindigkeiten. Deshalb will man jetzt strenger gegen die Verkehrssünder vorgehen.

Familie Baumann war im Frankfurter Zoo gewesen und befand sich nun auf der Rückfahrt in ihren Heimatort. Herr Baumann saß am Steuer, und man sprach gerade darüber, wo man noch einmal zu einer Rast einkehren könne. Alle waren sich schnell einig: Auf halbem Weg lag ein Café, wo es eine Fülle italienischer Eisspezialitäten gab.

Sie waren gerade durch ein Städtchen gefahren und befanden sich am Stadtrand. „Nanu, was will denn die Polizei von uns?" sagte Frau Baumann plötzlich. Am Straßenrand stand ein olivgrün und weißer Volkswagen, und ein Polizist stand daneben. Er gab ihnen das Zeichen zum Halten.

„Du hast doch hoffentlich die Fahrzeugpapiere dabei, Papa! Führerschein und Zulassung!"

„Natürlich! Nur keine Angst, Kinder. Uns kann nichts passieren. Euer Papa hat immer alles dabei".

Herr Baumann hielt.

„Guten Tag!", sagte der Polizist freundlich, „darf ich einmal Ihre Fahrzeugpapiere sehen?"

„Bitte schön", sagte Herr Baumann und reichte sie dem Polizisten hin.

„Sagen Sie mal, mein Herr, wissen Sie eigentlich, wie schnell man durch eine geschlossene Ortschaft fährt?"

„Natürlich. Mit 50 Kilometer in der Stunde".

„So? Warum aber fahren Sie dann 70?"

„Bin ich denn so schnell gefahren?" sagte Herr Baumann kleinlaut.

„Ja. Hier ist Radarkontrolle. Wollen Sie gleich bezahlen? 40 Mark".

Herr Baumann zahlte schweigend.

Als der Polizist weggegangen war, sagte Herr Baumann: „Da wird es wohl nichts werden mit unserem Eis. Irgendwie müssen wir ja das Geld wieder einsparen".

„Aber wieso denn, Papa? Wir sind doch nicht zu schnell gefahren", rief es vom Rücksitz wie aus einem Munde.

„Ihr habt recht, Kinder. Entschuldigt! Natürlich eßt ihr euer Eis. Nur ich werde wohl heute verzichten müssen. Heute und noch einige Male mehr. Denn Strafe muß ja wohl sein!"

1. Eine überhöhte Geschwindigkeit ist,
   A. wenn viele Unfälle auf den Straßen geschehen.
   B. wenn man zu schnell fährt.
   C. wenn man zu schnell ißt.
   D. wenn die Autos zu langsam fahren.

2. Frankfurt in Westdeutschland liegt
   A. am Rhein   C. an der Weser.
   B. an der Elbe.   D. am Main.

3. Wie fuhr die Familie Baumann nach Hause?
   A. Mit dem Zug.

B. Sie fuhren nach Frankfurt.
C. Sie fuhren nicht nach Hause.
D. Mit dem Auto.

4. Wo waren sie, als sie den Polizisten bemerkten?
   A. Sie waren im italienischen Café.
   B. Sie waren im Stadtzentrum.
   C. Sie waren am Straßenrand.
   D. Sie waren am Ortsende.

5. Warum hatte Herr Baumann keine Angst?
   A. Weil er seinen Wagen neulich versichert hatte.
   B. Weil er ein gutes Mahl im Café gegessen hatte.
   C. Weil er auch Polizist war.
   D. Weil er alle die nötigen Papiere mithatte.

6. Wie schnell darf man in einer Stadt fahren?
   A. Fünfzig Kilometer in der Stunde.
   B. So schnell wie möglich.
   C. Die Geschwindigkeit hängt vom Auto ab.
   D. Siebzig Kilometer in der Stunde.

7. Warum antwortete Herr Baumann kleinlaut?
   A. Weil er seine Stimme verloren hatte.
   B. Um seine schlafenden Kinder auf dem Rücksitz nicht zu stören.
   C. Weil er schuldig war.
   D. Wegen des Lärms im Wagen.

8. Herr Baumann mußte die Strafe bezahlen
   A. drei Tage später in der nächsten Polizeiwache.
   B. sofort dem wartenden Polizisten.
   C. niemals, weil er unschuldig war.
   D. nachdem er genug Geld gespart hatte.

9. Die Kinder waren zornig,
   A. weil sie selber unschuldig waren.
   B. weil ihr Vater kein Geld hatte, um Eis zu kaufen.
   C. weil ihr Vater nicht zu schnell gefahren war.
   D. weil sie die Radarkontrolle nicht gesehen hatten.

10. Als sie endlich im Café waren,
   A. aß und trank Herr Baumann nichts.
   B. wurde Herr Baumann wieder gestraft.
   C. aßen sie alle nichts.
   D. wartete derselbe Polizist noch einmal auf sie

4. Zollkontrolle

Herr Meyer und seine Frau waren auf der Rückfahrt von Paris, wo sie ihre Tochter besucht hatten, die sich vor drei Jahren mit einem Franzosen verheiratet hatte. Sie näherten sich nun Forbach, wo sie die deutsch – französische Grenze überschreiten würden. Als an der Grenzstation französische Grenzpolizisten und Zollbeamte in die Abteile kamen, hörte man die freundlichen Beamten immer wieder die übliche Bitte aussprechen: „Ihre Pässe bitte", und dann darauf die immer gleiche Frage: „Haben Sie etwas zu verzollen?"

Es war alles mehr oder weniger eine Formalität. Dasselbe wiederholte sich auf der deutschen Seite.

„Es ist doch eigentlich schön", meinte Herr Meyer, „daß man heute die Grenzen so schnell und mühelos überschreiten kann".

„Ja", stimmte Frau Meyer zu, „und es ist zu hoffen, daß bald auch diese Formalitäten noch wegfallen".

Und schmerzlich kam ihnen dabei jene andere Grenze in den Sinn, die wie ein eiserner Vorhang ihr Land in zwei Teile zerriß. Als sie im Jahr vorher eine Reise nach Berlin machten und mit dem Omnibus die Deutsche Demokratische Republik durchreisten, mußten sie an jedem Grenzübergang fast drei Stunden warten, und das waren die normalen Wartezeiten. Sie hatten aber noch nicht aufgehört, darauf zu hoffen, bald ohne Schwierigkeit auch in diesen Teil ihres Landes reisen zu können.

1. Herr und Frau Meyer waren nach Paris gefahren,
   A. um der Hochzeit ihrer Tochter beizuwohnen.
   B. um jemanden zu besuchen.
   C. weil Frau Meyer das neueste Parfüm kaufen wollte.
   D. weil Herr Meyer niemals in Paris gewesen war.

2. Herr Meyers Tochter
   A. hatte einen französischen Mann.
   B. wollte wegen Heimweh wieder nach Deutschland.
   C. schickte ihre Eltern heim, sobald sie angekommen waren.
   D. fuhr mit ihren Eltern von Paris zurück.

3. Eine Grenze
   A. ist eine Stadt zwischen zwei Ländern.
   B. ist ein Vorort von Wien.
   C. ist eine sehr lange Hecke.
   D. trennt zwei Länder.

4. Wie fuhren die Meyers?
   A. Sie fuhren mit dem Auto.   C. Sie fuhren nach Paris.
   B. Sie fuhren heim.   D. Sie fuhren mit dem Zug.

5. Warum braucht man einen Paß?
   A. Um nichts zu bezahlen, wenn man mit der Bahn fährt.
   B. Um mit dem Zug zu fahren.
   C. Um ein anderes Land zu besuchen.
   D. Damit ein Zollbeamter etwas zu lesen hat.

6. Was muß man an der Grenze verzollen?
   A. Die zollfreien Zigaretten, die man verkauft hat.
   B. Seinen Reisepaß und seine Fahrzeugpapiere.
   C. Wieviele Kinder man hat.
   D. Die zollpflichtigen Artikel, die man gekauft hat.

7. Wer kontrollierte die Pässe der Meyers?
   A. Ein französischer Beamte.
   B. Herr Meyer und seine Frau.
   C. Ein deutscher und ein französischer Zollbeamter.
   D. Ein deutscher Zollbeamter.

8. Der eiserne Vorhang ist
   A. das Tor einer Bank.
   B. Die Uniform des Schwarzen Ritters.
   C. Die Grenze zwischen West- und Ostdeutschland.
   D. eine Brücke über den Rhein.

9. Die D.D.R. ist
   A. Ostdeutschland.   C. Westdeutschland.
   B. ein Insektenpulver.   D. der eiserne Vorhang.

10. Was trennt Berlin in zwei Teile?
    A. Der Rhein.   G. Eine große Spalte in der Erde.
    B. Eine hohe Mauer.   D. Ein russischer Soldat.

5. Camping an einem See

Im letzten Sommer zelteten Manfred und zwei seiner Klassen-
kameraden an einem der schöngelegenen Seen südlich von München.
Da sie überfüllte Campingplätze nicht mochten, versuchten sie, eine
einsame Stelle zu finden. Sie hatten Glück. Ein Bauer, dessen Hof
direkt am See lag, erlaubte ihnen, ein Stück seiner Wiese zu benutzen.
Zwei Wochen waren sie nun schon hier. Der Wettergott meinte es
gut mit ihnen, die Sonne strahlte Tag für Tag von einem wolkenlos
blauen Himmel herab. Froh, dem Druck der Schule entronnen zu
sein, war Schwimmen, Sonnenbaden und Lesen ihre Haupt-
beschäftigung. Über einer selbstgebauten Feuerstelle kochten sie ab,
und jeden Tag mußte ein anderer als Koch wirken. Jeden Abend
gingen sie in das nahe Städtchen in eine Diskothek oder ein Café.
Eines Nachmittags kündigte sich plötzlich ein Wetterumschlag an.
Dunkle Wolken kamen auf, und die Silhouette der Alpen im Hinter-
grund war beängstigend nahe. Beunruhigt gingen sie an diesem
Abend schlafen. Gegen Mitternacht wurden sie plötzlich von einem
lauten Donnerschlag geweckt. Der Regen rauschte auf das Zeltdach
herab: Es goß in Strömen. Es blitzte und donnerte fast ununter-
brochen. Die Jungen waren schweigsam. Das Gewitter mußte direkt
über ihnen sein. Plötzlich spürten sie, daß Wasser in ihr Zelt eindrang.
Was war zu tun? Da ertönte endlich Manfreds Stimme aus der Ecke
des Zeltes.
„Schau doch mal, das Zelt ist gerissen".
Da half nur eines: das Zelt völlig abbauen und die Sachen in
Sicherheit bringen. Gott sei Dank waren es nur hundert Meter bis
zum Bauernhaus. Die freundlichen Leute hatten schon an sie gedacht.
Die zwei Söhne des Bauern kamen ihnen entgegen, um ihnen zu
helfen. Für die Nacht boten sie ihnen eine Unterkunft in ihrem Haus an.

1. Wo waren die drei Jungen letzten Sommer?
   A. Sie waren auf einem Campingplatz in München.
   B. Sie zelteten an einem See.
   C. Sie zelteten an der See.
   D. Sie besuchten die österreichischen Seen.

2. Sie suchten eine einsame Stelle,
   A. weil Campingplätze immer schmutzig sind.
   B. die sich in der Münchner Stadtmitte befand.
   C. die voller freundlicher Leute war.
   D. weil sie allein zelten wollten.

3. Der Bauernhof, wo sie zelteten,
   A. war in der Nähe eines überfüllten Campingplatzes an der See.
   B. lag dicht am See.
   C. hatte kein Vieh und keine Wiesen.
   D. war der Münchner Hauptbahnhof.

4. Sie waren glücklich hier,
   A. weil der Wettergott sie von Zeit zu Zeit besuchte.
   B. weil so viele Leute vorhanden waren, um ihnen zu helfen.
   C. weil ihre Eltern nicht wußten, wo sie waren.
   D. weil sie ständigen Sonnenschein hatten.

5. Die Jungen aßen
   A. immer in dem nahen Städtchen.
   B. am Lagerfeuer am See.
   C. nichts, weil sie immer schwammen und lasen.
   D. im naheliegenden Bauernhof.

6. Sie verbrachten die Abende
   A. im nahen Städtchen.
   B. in einer Diskothek in München.
   C. beim Kaffeetrinken am Campingplatz.
   D. beim Schwimmen und Sonnenbaden.

7. Was verdarb die schönen Ferien?
   A. Die Sonne, die die ganze Zeit schien.
   B. Einer der Jungen, der krank wurde.
   C. Das Wetter, das sich plötzlich änderte.
   D. Der Lärm singender Leute am Campingplatz.

8. Die Jungen wurden
   A. von dem Lärm der Kühe des Bauern geweckt.
   B. von Manfreds lautem Schnarchen geweckt.
   C. von den Regentropfen auf dem Zeltdach geweckt.
   D. von dem Donner eines heftigen Gewitters geweckt.

9. Was machten die Jungen im Zelt, sobald sie wach waren?
   A. Sie bereiteten eine Mahlzeit, weil sie hungrig waren.
   B. Sie schrien ‚Hilfe'!
   C. Sie saßen und sagten nichts.
   D. Sie schliefen fast sofort ein.

10. Sie verließen das Zelt,
    A. um den Zug nach Hause zu erreichen.
    B. weil das Gewitter direkt über ihnen war.
    C. um die Blitze besser sehen zu können.
    D. weil der starke Regen es zerrissen hatte.

11. Wegen des starken Gewitters
    A. kam der See über das Ufer und überschwemmte die Wiese.
    B. mußten die Jungen alles aus dem Zelt heraustragen.
    C. ertrank das Vieh auf der Wiese.
    D. mußten sie auf ihr nächtliches Schwimmen verzichten.

12. Wo verbrachten sie den Rest des Abends?
    A. In einem Zelt am See.
    B. Im Schlafwagen eines Zuges.
    C. Im Wohnwagen einer Familie am Campingplatz.
    D. Beim Bauern, dem die Wiese gehörte.

6. *Der erste Schultag*

Gestern nachmittag wurde Ute in die Schule aufgenommen. An der Hand ihrer Mutter betrat sie das Klassenzimmer. Viele andere Mütter waren schon mit ihren Jungen und Mädchen da. Die junge Lehrerin begrüßte sie freundlich, und größere Kinder sangen und spielten für die Schulanfänger. Dann machte ein Photograph eine Aufnahme draußen im Schulhof, und sie durften mit ihren Schultüten, die mit Bonbons und Schokolade gefüllt waren, wieder nach Hause gehen.

Heute geht nun Ute zum ersten Mal ganz allein in die Schule. Als sie den Schulhof betritt, läutet es gerade zur großen Pause. Lachend und lärmend stürzen die Kinder ins Freie. Große Buben spielen Nachlauf. Beinahe hätten sie die kleine Ute umgerannt. Ängstlich drückt sie sich an die Schulhofmauer. Alle sind so laut, alles ist so fremd. Keiner kümmert sich um die kleine Ute. Am liebsten würde sie weinen, aber sie ist ja schon sechs, und da weint man nicht mehr so schnell.

Hilfesuchend schaut sie sich um. Da entdeckt sie plötzlich die zwölfjährige Brigitte aus dem Nachbarhaus. Sie ruft und winkt ihr zu, und da hat Brigitte ihre kleine Nachbarin auch schon entdeckt. Sie lacht und läuft auf Ute zu. Sie nimmt sie an der Hand und führt sie auf die andere Seite des Schulhofs. Dort steht die junge Lehrerin

von gestern, und bei ihr sind schon viele Jungen und Mädchen aus
Utes neuer Klasse! Die Lehrerin begrüßt sie freundlich. Nun hat Ute
keine Angst mehr und freut sich auf ihren ersten Schultag.

1. Ging Ute am Anfang der Geschichte allein in die Schule?
   A. Ja, sie ging allein.
   B. Nein, sie wurde von ihrer Mutter begleitet.
   C. Nein, sie ist mit vielen anderen Müttern gegangen.
   D. Ja, aber die Schule war geschlossen.

2. Die größeren Schulkinder sangen,
   A. weil es der letzte Tag der Schulzeit war.
   B. um die neuen Kinder zu begrüßen.
   C. weil die junge Lehrerin eine Schulanfängerin war.
   D. um ihre Freude zu zeigen, daß sie wieder in die Schule gehen
      mußten.

3. Eine Tüte ist
   A. eine Art Schulmütze.   C. der Pfiff einer Lokomotive.
   B. aus Papier gemacht.   D. ein Plastikregenmantel.

4. Am nächsten Tag
   A. ging Ute mit ihrer Mutter in die Stadt.
   B. wollte Ute nicht in die Schule gehen.
   C. ging Utes Mutter allein in die Schule.
   D. ging Ute allein in die Schule.

5. Die Kinder strömten auf den Schulhof hinaus,
   A. weil jemand ‚Feuer' gerufen hatte.
   B. um nach Hause zu gehen.
   C. weil es Pause war.
   D. um zu Mittag zu essen.

6. Was machten die großen Kinder?
   A. Sie jagten sich um den Schulhof.
   B. Sie rannten um Ute herum wie Indianer.
   C. Sie halfen den Lehrern, das Feuer auszulöschen.
   D. Sie liefen Ute nach.

7. Wie war Ute, während sie die Kinder beobachtete?
   A. Sie wollte mitspielen.

B. Sie lachte und klatschte in die Hände.

C. Sie fing an zu weinen.

D. Sie hatte ein bißchen Angst.

8. Ute sah sich um,
   A. um zu sehen, was die Kinder hinter ihr machten.
   B. um jemanden zu finden, den sie kannte.
   C. weil sie ein Kind weinen hörte.
   D. weil jemand sie gerufen hatte.

9. Die zwölfjährige Brigitte
   A. spielte Nachlauf mit ihren Freunden.
   B. suchte Hilfe und weinte.
   C. wohnte nebenan.
   D. aß ständig Bonbons und Schokolade.

10. Brigitte und Ute liefen auf die andere Seite des Schulhofs,
    A. um Versteck zu spielen.
    B. Hand in Hand.
    C. weil sie allein sein wollten.
    D. so schnell sie ihre Beine tragen konnten.

11. Wen traf Ute an dieser Seite des Schulhofs?
    A. Das Mädchen, das im Nachbarhaus wohnte.
    B. Ihre neuen Klassenkameraden.
    C. den Lehrer von gestern.
    D. Die Kinder, die gestern gesungen hatten.

12. Warum hatte Ute keine Angst mehr?
    A. Weil es zum Ende der großen Pause läutete.
    B. Weil ihre Mutter am Schultor wartete, um sie zu holen.
    C. Weil das Nachlaufspiel zu Ende war.
    D. Weil sie mit ihren neuen Kameraden war.

7. In der Jugendherberge

An Rainers Schule gehen die einzelnen Klassen jedes Jahr zu einem Landschulaufenthalt in eine Jugendherberge. Sie bleiben gewöhnlich eine Woche lang, manchmal aber auch länger weg.

Rainers Klasse war im letzten Jahr im Schwarzwald. Mit der Eisenbahn fuhren sie zu ihrem Ziel am Westrand des Schwarzwaldes.

Nach einer vierstündigen Fahrt kamen sie dort an. Schon von weitem
sahen sie die Jugendherberge auf einem Berg liegen. Mit einem Traktor
wurde ihr Gepäck auf die alte Burg hinauf gefahren. Sie selbst
mußten den Weg zu Fuß machen. Als sie im schattigen Burghof
ankamen, waren sie nicht nur müde, sondern auch ziemlich hungrig.
Die Herbergseltern standen auf der Treppe und begrüßten sie. Da
noch etwas Zeit bis zum Mittagessen war, erkundeten sie das Haus und
seine Umgebung. Das war ja wunderschön hier oben: schöne, saubere
Schlafräume — sie freuten sich schon auf die nächtlichen Kissen-
schlachten — Waschräume mit heißem und kaltem Wasser, Duschen,
und draußen vor der Burg eine Spiel- und Liegewiese. Vom Burghof
hatte man eine schöne Aussicht auf die Ebene des Rheins.

Was ihnen aber nicht so gefiel, war, daß man gemäß der
Hausordnung schon um neun Uhr abends das Licht auslöschen sollte
und daß eine Stunde später schon völlige Ruhe im Hause herrschen
sollte. Daß ihr Lehrer bei ihnen im Schlafraum lag, gefiel ihnen auch
nicht besonders. Naja, man würde schon sehen. Auf jeden Fall, sechs
schöne Tage lagen vor ihnen.

Da rief schon der Gong zum Essen, und der Hunger, den sie ganz
vergessen hatten, meldete sich wieder.

1. Was machen die einzelnen Klassen jedes Jahr?
   A. Sie verbringen das ganze Jahr in der Schule.
   B. Die Jungen gehen auf einen Berg.
   C. Sie gehen zu einer Landschule.
   D. Sie verbringen eine Woche in einer Jugendherberge.

2. Der Schwarzwald liegt
   A. In Nordostdeutschland.   C. In Westberlin.
   B. In Südostdeutschland.   D. In Südwestdeutschland.

3. Die Zugreise zur Jugendherberge dauert
   A. Eine Viertelstunde.   C. Vier Wochen.
   B. Vier Stunden.   D. Vier Tage.

4. Wer arbeitet mit einem Traktor?
   A. Pferde und Ochsen.   C. Ein Baumeister.
   B. Ein Bauernhof.   D. Ein Bauer.

5. Was war die Jugendherberge?
   A. Ein alter Berg.   C. Ein Burghof.
   B. Ein Gefängnis für Jugendliche.   D. Eine alte Burg.

6. Die Jungen waren müde,
   A. weil sie lange bergauf gegangen waren.
   B. weil sie während der Nacht gut geschlafen hatten.
   C. weil sie hungrig waren.
   D. weil sie den ganzen Tag herumgelaufen waren.

7. Was sind Herbergseltern?
   A. Eltern, die in einer Burg wohnen.
   B. Leute, die nach einer Herberge schauen.
   C. Ein Paar, das eine Herberge leitet.
   D. Eltern, die keine eigenen Kinder haben.

8. Was machten die Kinder vor dem Mittagessen?
   A. Sie untersuchten die Burg und die Gärten.
   B. Sie blieben im Hause, weil sie sehr müde waren.
   C. Sie schliefen alle ein.
   D. Sie kletterten auf den Turm.

9. Während der Nacht würden sie
   A. alle in demselben Zimmer schlafen.
   B. sich mit heißem und kaltem Wasser waschen.
   C. draußen schlafen müssen.
   D. ihr eigenes Zimmer haben.

10. Während der Nacht aber
    A. wollten sie sich mit Kissen bewerfen.
    B. wollten sie das Haus erkunden.
    C. wollten sie ruhig schlafen.
    D. wollten sie sich mit Küssen begrüßen.

11. Um neun Uhr abends mußten sie
    A. ihre Schulaufgaben machen, weil sie nicht auf Ferien waren.
    B. das Haus in Ordnung bringen, weil sie unordentliche Kinder
       waren.
    C. das Feuer auslöschen, weil die Burg nicht versichert war.
    D. alle Lichter abdrehen, wie es die Herbergseltern wünschten.

12. Es gefiel ihnen nicht besonders,
    A. daß die Betten so hart waren.
    B. daß noch sechs Tage vor ihnen lagen.
    C. daß der Lehrer in demselben Zimmer schlafen mußte.
    D. daß ihr Lehrer so sehr schnarchte.

8. *Ein Mittagessen im Gasthof zum goldenen Hirschen*

Die Besichtigung der Ulmer Altstadt und des Münsters hatte Familie Hill hungrig gemacht. Nun saßen sie in einem der gemütlichen Gasthöfe der Stadt und studierten die Speisekarte. Tom Hill war erstaunt über das reichhaltige Angebot an Gerichten. Die Wahl fiel ihnen sehr schwer, da sie als Engländer die meisten Speisen nicht kannten.

„Wie wäre es mit einem Jägerschnitzel?" schlug seine Frau vor.

„Das kenne ich", antwortete ihr Mann, „es ist mit Pilzen garniert und schmeckt ausgezeichnet. Ich habe es vor zwei Jahren in München einmal probiert".

„Gut, das nehmen wir", stimmten die anderen drei zu.

Als der Kellner die Bestellung aufschrieb, fragte er sie auch nach Getränken.

„Möchten die Herrschaften auch etwas zu trinken?"

„Ja, bringen Sie bitte zwei große Bier und zweimal Fruchtsaft".

Das Bier war für Mrs. Hill und ihren älteren Sohn. Mr. Hill selbst trank als Autofahrer nur Fruchtsaft. Der Kellner war sehr flink, und im Nu wurde das Essen serviert.

„Ich wünsche guten Appetit allerseits", sagte der Kellner und war schon beim nächsten Tisch.

Da sie alle ziemlich hungrig waren, schmeckte es ihnen köstlich, und die kühlen Getränke waren einfach herrlich. Weil sie aber eine lange Fahrt vor sich hatten, konnten sie sich nicht lange aufhalten. Mr. Hill winkte dem Kellner.

„Herr Ober, wir möchten zahlen".

„Einen Augenblick, die Herrschaften, ich komme sofort".

Mr. Hill rundete den Rechnungsbetrag nach oben auf, und gab dem Kellner ein schönes Trinkgeld. Dieser bedankte sich, erkundigte sich nach dem Ziel ihrer Fahrt und wünschte ihnen eine gute Reise. Sie brachen schnell auf, um wieder auf die Autobahn zu gelangen. An diesem Nachmittag stand noch München auf ihrem Programm.

1. Familie Hill studierte die Speisekarte,
   A. weil sie eine kaufen wollte.
   B. weil sie hungrig war.
   C. weil sie den Weg verloren hatte.
   D. weil sie eine noch nie gesehen hatte.

2. Tom Hill war erstaunt,
   A. weil alles sehr teuer war.
   B. weil das Rauchen verboten war.
   C. weil es so viele Speisen gab.
   D. weil es nur chinesische Gerichte gab.

3. Ein Pilz ist
   A. ein Gemüse.   C. eine Art Käse.
   B. ein Obst.   D. ein deutsches Bier.

4. Mrs. Hill hatte ein Jägerschnitzel
   A. vor zwei Jahren in München gegessen.
   B. niemals gegessen.
   C. vor zwei Monaten gegessen.
   D. immer essen wollen.

5. Was wollte der Kellner auch wissen?
   A. Ob sie etwas trinken wollten.
   B. ob das Essen ihnen geschmeckt hatte.
   C. Ob sie genug Geld hatten, um alles zu bezahlen.
   D. Wie sie hießen.

6. Mr. Hill trank
   A. ein Glas Bier.   C. viel, weil er ein Alkoholiker war.
   B. eine Fruchtsaft.   D. zweimal Fruchtsaft, weil er durstig war.

7. Der Kellner kam mit dem Essen
   A. eine halbe Stunde später.
   B. am nächsten Abend.
   C. fast sofort.
   D. nie, weil er es vergessen hatte.

8. Nachdem der Kellner das Essen serviert hatte,
   A. ging er in die Kirche zurück.
   B. bediente er an einem anderen Tisch.
   C. trank er ein Glas Wein.
   D. ging er in die Küche zurück.

9. Warum mußte die Familie gleich nach dem Essen abfahren?
   A. Weil das Essen ihnen furchtbar geschmeckt hatte.
   B. Um die Speisekarte zur Post zu bringen.
   C. Weil ihre Fahrt noch nicht zu Ende war.
   D. Weil sie kein Geld hatten.

10. Was brachte der Kellner nach dem Mahl?
    A. Eine Schaufel, um das Essen aufzuräumen.
    B. Die Mäntel der Familie Hill.
    C. Den Ober, weil Mr. Hill nicht zahlen wollte.
    D. Die Rechnung, damit Mr. Hill wußte, wieviel er zahlen mußte.

11. Was war die letzte Frage des Kellners?
    A. „Hat Ihnen das Essen geschmeckt?"
    B. „Wohin fahren Sie jetzt?"
    C. „Gibt es ein Trinkgeld für mich?"
    D. „Ich danke Ihnen für das schöne Essen".

12. München ist
    A. ein Städtchen im Schwarzwald.
    B. Ein kleiner Mönch.
    C. eine Großstadt in der Nähe der Alpen.
    D. ein großes Essen.

9. Auf dem Fundbüro

Udo und Barbara saßen im Stadtpark auf einer Bank und genossen die Frühlingssonne. Aus dem Kofferradio neben ihnen ertönte leise Musik. Es war schön, hier zu sitzen, und nichts anderes zu tun, als den Schwänen auf dem Teich vor ihnen zuzusehen.

„Du, nachher gehen wir mal da drüben in den Taschenbuchladen. Die haben eine Auswahl, einfach toll!"

„O ja, da freue ich mich drauf", entgegnete Barbara, „es gibt nichts, was ich lieber täte!"

Die Auswahl war wirklich riesengroß. Udo hatte ein neuerschienenes Buch über Raumfahrt gefunden und Barbara ein Taschenbuch von Heinrich Böll, ihrem Lieblingsschriftsteller. Sie standen gerade an der Kasse und wollten zahlen, als Udo erschrak.

„Du, mein Photoapparat. Ich habe ihn nicht mehr!" Er war ganz blaß geworden vor Schreck.

„Wo hattest du ihn denn zuletzt?"

„Ich hatte ihn im Park über die Bank gehängt".

Im Nu waren sie dort. Auf ihrer Bank saß eine alte Frau und fütterte Tauben.

„Entschuldigen Sie, haben Sie hier einen Photoapparat gesehen?"

„Ja, als ich hier ankam, sah ich eine Frau weggehen, die eine Kamera gefunden hatte. Sie sagte mir, sie wolle zum Fundbüro gehen".

„Ist das Fundbüro weit von hier?"

„Nein, Sie brauchen höchstens fünf Minuten. Gehen Sie da drüben über die Kreuzung, dann die Schloßstraße hinunter, und biegen Sie die zweite Straße links ab".

Sie hatten Glück. Fünf Minuten später, und das Fundbüro wäre geschlossen gewesen. Der Angestellte fragte sie in der üblichen Weise: „Können Sie Ihre Kamera beschreiben?"

„Ja. Es ist eine ziemlich neue Kodak mit automatischer Belichtung. Wenn ich mich nicht irre, steht das Bildzählwerk auf Nummer 32". Der Angestellte legte eine Kamera auf den Tisch.

„Ja, sie ist es". Udo, ganz glücklich, bedankte sich und wollte gehen.

„Moment mal, junger Mann! Zunächst müssen Sie hier den Empfang der Kamera bescheinigen. Und dann: Ihre Kamera ist doch 300 Mark wert. Der Finderin steht nach dem Gesetz ein Finderlohn von 3% zu. Es war eine einfache Frau, und sie war ehrlich! Wollen Sie ihr nicht die 9 Mark zukommen lassen?"

„Selbstverständlich. Gerne", war Udos Antwort. Bei seinem spärlichen Taschengeld war es zwar hart für ihn, aber er war überglücklich. Nebenbei gesagt, die Kamera gehörte seinem Vater.

1. Udo und Barbara saßen im Park,
   A. um zusammen ihre Schulaufgaben zu schreiben.
   B. weil sie den Schwänen zusehen wollten.
   C. um das Kofferradio besser zu hören.
   D. weil das Wetter sehr schön war.

2. Nach einer Weile beschlossen sie,
   A. die Schwäne zu füttern.
   B. sogleich heimzugehen.
   C. in einen Buchladen zu gehen.
   D. den ganzen Tag auf der Bank zu sitzen.

3. Warum gingen sie in den Taschenbuchladen?
   A. Weil sie nichts zu tun hatten.
   B. Um etwas Futter für die Schwäne zu kaufen.
   C. Weil es draußen schwer regnete.
   D. Weil es eine große Auswahl Bücher gab.

4. Wer ist Heinrich Böll?
   A. Ein berühmter deutscher Fußballspieler.
   B. Ein deutscher Schriftsteller.
   C. Der Präsident von Deutschland.
   D. Udos Großvater.

5. Wer macht eine Raumfahrt?
   A. Ein Astronaut in einer Rakete.
   B. Eine Putzfrau in einem Haus.
   C. Udo macht eine Raumfahrt.
   D. Der Manager einer Baugesellschaft.

6. Warum erschrak Udo?
   A. Weil es eine große Auswahl Bücher gab.
   B. Weil er kein Geld hatte, um die Bücher zu zahlen.
   C. Weil Barbaras Gesicht sehr blaß war.
   D. Weil er seinen Apparat nicht mehr hatte.

7. Sie gingen zum Park zurück,
   A. um die Schwäne zu füttern.
   B. weil sie ihre neuen Bücher lesen wollten.
   C. um die Kamera zu holen.
   D. weil der Regen aufgehört hatte.

8. Wo war der Photoapparat?
   A. Eine Frau hatte ihn weggenommen.
   B. Er hing noch auf der Bank im Park.
   C. Die alte Frau auf der Bank hatte ihn in der Hand.
   D. Die zwei Freunde hatten ihn im Buchladen verlassen.

9. Wo waren die Freunde fünf Minuten später?
   A. Sie waren noch im Park.
   B. Sie waren auf dem Fundbüro.
   C. Sie waren wieder im Laden, um die Kamera zu holen.
   D. Sie waren auf dem Weg zum Fundbüro.

10. Ein Bildzählwerk
    A. ist eine Fabrik, wo man Photoapparate macht.
    B. ist eine Art automatischer Belichtung.
    C. zeigt, wieviele Bilder man schon gemacht hat.
    D. ist ein Mann, der Photos macht.

11. Was hatte Udo vergessen, als er das Fundbüro verlassen wollte?
    A. Daß seine Kamera 300 Mark wert war.
    B. Die Kamera mitzunehmen.
    C. Einen Finderlohn zu zahlen.
    D. Die Bücher, die er früher gekauft hatte.

12. Udo war überglücklich,
    A. einen Finderlohn zu bekommen.
    B. weil die Kamera ihm nicht gehörte.
    C. weil er den Angestellten kannte.
    D. die Bücher zu lesen, die er gekauft hatte.

10. Eine Übernachtung am Rhein

Familie Hill befand sich auf der Fahrt durch das Rheintal nach Süden. Auf ihrer Fahrt von Ostende nach Österreich, ihrem Urlaubsziel, wollten sie in Deutschland übernachten. Ihre Reise durch dieses weltberühmte Flußtal war bis jetzt sehr reizvoll gewesen: Auf dem Strom herrschte ein reger Schiffsverkehr, an den steilen Hängen zu beiden Seiten waren Weinberge und alte Burgen, und die alten, romantischen Städtchen luden immer wieder zum Bleiben ein.

Es war nun gegen Abend, und sie fuhren von der Hauptstraße ab und kamen in ein Weindorf, das am Südabhang des Taunusgebirges lag. Hier wollten sie sich ein Zimmer für die Nacht suchen. Sobald sie im Städtchen waren, sahen sie eine Pension mit einem großen Balkon, der nach Süden schaute. Als sie das Schild mit der Aufschrift ‚Zimmer frei‘ sahen, hielt Mr. Hill an und ging hinein. Im Flur kam ihm schon die Besitzerin entgegen und fragte nach seinen Wünschen.

„Guten Abend, mein Herr!"

„Guten Abend, gnädige Frau!"

„Was wünschen Sie?"

„Haben Sie noch Zimmer frei für die Nacht? Wir sind auf der Durchreise und brauchen zwei Doppelzimmer".

„Ja, Sie haben Glück, wir haben gerade noch zwei Doppelzimmer frei".

„Wieviel kostet eine Übernachtung bei Ihnen?"

„Wir nehmen 10.50 DM je Bett und Frühstück. Wir haben fließendes kaltes und heißes Wasser, außerdem können Sie duschen".

„Gut, ich werde meiner Familie Bescheid sagen".

Familie Hill hatte Glück mit ihren Zimmern. Beide gingen auf den Balkon hinaus. So konnten sie, nachdem sie sich erfrischt hatten, noch draußen in der milden Abendluft sitzen, ein Glas einheimischen Weines trinken und den Blick auf den Fluß unter ihnen genießen. Ihr erster Reisetag fand so einen schönen Abschluß.

1. Die Familie Hill fuhr
   A. in südlicher Richtung.   C. in östlicher Richtung.
   B. in nördlicher Richtung.   D. in westlicher Richtung.

2. Sie wollten übernachten,
   A. weil sie nie in einem deutschen Bett geschlafen hatten.
   B. weil die Reise sehr lang war.
   C. weil das Rheintal ihr Urlaubsziel war.
   D. weil die Kinder sehr krank waren.

3. Was sahen sie an dem Rhein?
   A. Allerlei Schiffe.   C. Weinberge und alte Burgen.
   B. Tote Fische.   D. Ihr Urlaubsziel.

4. Sobald sie die reizvollen Städtchen sahen,
   A. wollten sie einige Zeit dort verbringen.
   B. wollten sie schnell fortfahren.
   C. wollten sie Glasgebäude errichten.
   D. wurden sie von den Bewohnem eingeladen.

5. Wie fuhren sie nach Österreich?
   A. Mit dem Schiff.   C. Mit dem Flugzeug.
   B. Mit dem Zug.   D. Mit dem Auto.

6. Das Taunusgebirge ist
   A. Eine Stadt am Rhein.
   B. Eine deutsche Automobilfabrik.
   C. Eine der hügeligen Gegenden Deutschlands.
   D. Ein Bauernhof, wo man nur Stiere findet.

7. Sie wußten, daß Zimmer noch frei waren,
   A. weil die Pension hundert Zimmer hatte.
   B. weil viele Taxis voller Leute und Koffer abfuhren.
   C. weil sie es auf einem Schild lesen konnten.
   D. weil die Fenster zertrümmert waren.

8. Als Mr. Hill die Pension betrat,
   A. begrüßte ihn der Wirt.
   B. begrüßte ihn ein bellender Hund.
   C. begrüßte ihn die Wirtin.
   D. begrüßte ihn der Flur.

9. Bevor sie auf den Balkon gingen,
   A. schliefen sie eine Weile.
   B. wuschen sie sich.
   C. tranken sie zu viel Wein.
   D. reparierte Mr. Hill den Automotor.

10. Wieviel mußten sie bezahlen, um die Zimmer zu mieten?
    A. Zweiundvierzig Mark.   C. Zehn Mark fünfzig.
    B. Einundzwanzig Mark.   D. Zwanzig Mark fünfzig.

11. Wie verbrachten sie den Rest des Abends?
    A. Sie fuhren mit dem Dampfer auf dem Rhein.
    B. Sie genossen die schöne Landschaft vor sich.
    C. Sie gingen sofort zu Bett, weil sie müde waren.
    D. Sie sahen fern.

12. Warum war die Familie Hill in Deutschland?
    A. Weil eine Verwandte neulich gestorben war.
    B. Weil England mit Deutschen überfüllt war.
    C. Weil sie Ferien machten.
    D. Weil es seit drei Wochen regnete.

11. Eine Dampferfahrt auf dem Rhein

Als Günther im letzten Jahr mit seiner Klasse eine Woche in einer Jugendherberge am Rhein verbrachte, unternahmen sie auch eine Dampferfahrt auf dem Rhein. Sie fuhren von Rüdesheim aus den Rhein abwärts in Richtung Köln. Bei strahlendem Wetter bestiegen sie eines der weißen Ausflugsschiffe, das einige hundert Menschen aufnehmen konnte. Bald fuhren sie durch eines der schönsten Flußtäler der Welt. Da die Fahrrinne sehr schmal war und es gefährliche Felsenriffe gab, kam bald ein Lotse an Bord, der das Schiff sicher steuerte. Zu beiden Seiten des Flußes stiegen die Hänge steil bergan, größtenteils mit Weinbergen bedeckt. Überall sah man schon Winzer bei der Arbeit, die die frühen Trauben ernteten. Immer wieder sahen sie am Ufer alte, romantische Städtchen mit schönen mittelalterlichen Fachwerkhäusern, und auf den Bergen die Ruinen der Raubritterburgen, die hier besonders zahlreich sind. Die Fahrgäste tranken meistens Wein. Überall wurde gesungen, getanzt und gelacht. Und immer wieder brachen die Touristen in Rufe des Entzückens aus, wenn sie am Ufer neue Schönheiten sahen. Sprachen aus allen Ländern waren zu hören.

Plötzlich wurden die Maschinen des Schiffes abgestellt. Aus dem Lautsprecher ertönte ein Lied. „Ich weiß nicht, was soll es bedeuten, daß ich so traurig bin ...". Es wurde so still wie in einer Kirche. Viele summten die sentimentale Weise mit und schauten hinauf zum Loreleifelsen. Dort oben saß nach der Sage in alten Zeiten eine schöne Frau und kämmte ihr langes, blondes Haar. Ihr Anblick soll die Schiffsleute so sehr bezaubert haben, daß sie ihr Steuer vergaßen und auf die Felsenriffe stießen und untergingen. Die Jungen waren froh, daß diese unechte Sentimentalität unter den Touristen schnell vorüberging und der Lautsprecher wieder fröhliche Weinlieder von sich gab.

1. Eines Tages während der Woche
   A. ging Günther allein in eine Jugendherberge.
   B. gingen Günther und seine Klasse in eine Jugendherberge.
   C. mußten die Jungen sich im schmutzigen Rhein waschen.
   D. machten die Jungen einen Ausflug mit dem Schiff.

2. Der Dampfer fuhr
   A. nach Norden.   C. nach Westen.
   B. nach Süden.   D. nach Osten.

3. Wie war das Wetter, als sie den Dampfer bestiegen?
   A. Es war sehr schön.
   B. Es regnete.
   C. Das Wasser war kalt.
   D. Günthers Vetter war noch zu Hause.

4. Was macht ein Lotse?
   A. Er kontrolliert die Fahrrinne und Felsenriffe.
   B. Er hilft einem Schiffskapitän auf der gefährlichen Strecke einer Fahrt.
   C. Er kauft allerlei Möbel beim Gelegenheitskauf.
   D. Er steuert ein Schiff gegen die Felsenriffe.

5. Die Weinberge waren
   A. voller reifen Korns, das die Leute eben ernteten.
   B. nicht zu sehen, weil es schwer regnete.
   C. an den steilen Hängen des Flußes.
   D. mit zahlreichen Lotsen bevölkert.

6. Die Fachwerkhäuser
   A. wurden im Mittelalter gebaut.
   B. gehören den Raubrittern.
   C. standen immer auf den Gipfeln der Berge.
   D. werden jedes Jahr zahlreicher.

7. Die Touristen waren höchst erfreut,
   A. weil sie zu viel Wein getrunken hatten.
   B. als sie in Köln ankamen.
   C. die Raubritter in ihren Burgen zu sehen.
   D. weil die Städtchen und Burgen so schön aussahen.

8. Die vielen Touristen auf dem Dampfer wohnten
   A. nur in Deutschland.
   B. in verschiedenen Ländern.
   C. in den Raubritterburgen am Rhein.
   D. die ganze Zeit auf dem Dampfer.

9. Es wurde so still wie in einer Kirche,
   A. als jemand den Lautsprecher und die Maschine abstellte.
   B. weil es Sonntag war.
   C. weil die Schiffsschrauben zu viele Fische töteten.
   D. zum Gedächtnis der vielen toten Schiffsleute.

10. Warum wurde die Maschine des Dampfers abgestellt?
    A. Weil das Schiff sich einer Kirche näherte.
    B. Um Dieselkraftstoff zu sparen.
    C. Weil der Dampfer am Loreleifelsen vorbeifuhr.
    D. Damit die Leute das Lied besser hören konnten.

11. Was machte die schöne Frau oben auf dem Felsen?
    A. Sie sang und bezauberte die Schiffsleute mit ihrer Stimme.
    B. Sie wusch sich ständig die langen, blonden Haare.
    C. Sie saß und machte nichts.
    D. Sie arbeitete in einer Sägemühle.

12. Was gefiel den Jungen nicht?
   A. Die Sentimentalität der Touristen an Bord.
   B. Die fröhlichen Lieder aus dem Lautsprecher.
   C. Sie konnten die schöne Frau nicht sehr gut sehen.
   D. Der Tod von so vielen Schiffsleuten.

12. Gerettet

Als Heinrich mit seiner Freundin im letzten Sommer in Tirol war, sahen sie die Bergrettung in Aktion. Es war in Obergurgl, dem höchsten Dorf Österreichs. Mit der Seilbahn waren sie auf einen Aussichtsberg gefahren, und nun saßen sie im Gras und genossen den einmaligen Anblick: achtundzwanzig Gletscher lagen vor ihnen im Sonnenschein. Aber plötzlich wurde es kühl, und der Himmel bezog sich. Da die beiden keine erfahrenen Bergsteiger waren und das Wetter umzuschlagen drohte, stiegen sie zur Zunge des nächsten Gletschers hinab.

„Schau mal da drüben. Zwei schwarze Punkte! Sind das Leute?", sagte das Mädchen plötzlich.

„Ja, das sind sicher zwei Bergsteiger. Man sieht ja, wie sie sich aufwärtsbewegen. Na, die sind aber ganz schön leichtsinnig! Bei diesem Wetter und um diese Tageszeit! Man geht doch viel besser morgens und dann zu dritt an einem Seil".

An der Gletscherzunge angekommen, hielten die beiden eine kurze Rast und ließen sich die belegten Brote und den mitgebrachten Apfelsaft gut schmecken.

Plötzlich hörten sie Schritte hinter sich. Eilig näherte sich ihnen ein Tourist.

„Da oben ist ein Unglück passiert. Ein Mann muß in eine Gletscherspalte gefallen sein. Ich habe die beiden mit meinem Fernglas beobachtet, und plötzlich war der eine weg".

Der Mann war höchst erregt und war auf dem Weg ins Tal, um die Bergwacht zu alarmieren.

„Können wir denn nichts tun?" fragte Heinrich.

„Nein, wir sind ja nicht ausgerüstet und würden uns nur in Gefahr bringen".

Der Mann eilte weiter zu Tal.

Es wurde immer trüber und bald begann es zu regnen. Sicher schneite es jetzt auf dem Gletscher. Die beiden suchten Schutz in einer Berghütte. Erst nach einer Stunde beruhigte sich das Wetter wieder. Sie stiegen noch einmal bergan, um die Unfallstelle zu sehen.

„Da! Schau doch mal!"

Sechs schwarze Punkte bewegten sich langsam den Gletscher herab.
„Hoffentlich sind sie erfolgreich gewesen".

Am nächsten Tag konnten sie in der Zeitung davon lesen: Ein
Ehepaar war ohne Seil über den gefährlichen Gletscher gegangen, und
der Mann war in eine fünfzehn Meter tiefe Spalte gefallen. Glücklicherweise verengte sie sich unten, so daß der Mann sich darin verfing
und gerettet werden konnte.

1. Was ist Tirol?
   A. Eine Stadt in Österreich.
   B. Das deutsche Wort für die Alpen.
   C. Heinrichs Familienname.
   D. Eine bergige Gegend in Österreich.

2. Wo waren die zwei Freunde?
   A. Sie waren in einer Seilbahn.
   B. Sie waren auf dem Gipfel eines Berges.
   C. Sie waren noch in Obergurgl.
   D. Sie waren bei der Bergrettung.

3. Sie gingen zur Zunge des nächsten Gletschers,
   A. um etwas Eis zu kaufen.
   B. weil sie erfahrene Bergsteiger waren.
   C. weil das Wetter sich allmählich änderte.
   D. um den Bus zu erreichen.

4. Was sahen sie in der Ferne?
   A. Den Bus, der schon abgefahren war.
   B. Die Sonne hinter den schwarzen Wolken.
   C. Die dritte Seilbahn.
   D. Zwei leichtsinnige Bergsteiger.

5. Was machten die zwei Punkte?
   A. Sie gingen leichtsinnig bergauf.
   B. Sie gingen zu dritt an einem Seil.
   C. Sie saßen auf dem Gras und genossen den Sonnenschein.
   D. Sie trennten zwei Sätze.

6. An der Gletscherzunge
   A. fuhren die Freunde mit der Seilbahn bergab.
   B. trafen die Freunde den Rest ihrer Gruppe.

C. aßen und tranken die zwei Freunde.

D. riefen die zwei Freunde den zwei Punkten zu.

7. Wie kam der Tourist auf sie zu?
   A. Er kam mit dem Fernglas auf sie zu.
   B. Er kam mit belegtem Brot in der Hand.
   C. Er kam schnell auf sie zu.
   D. Er kam, während sie aßen.

8. Er berichtete ihnen,
   A. daß die Apfelsaft vergiftet war.
   B. daß es bald schneien würde.
   C. daß ein Gletscher gespaltet worden war.
   D. daß jemand oben einen Unfall gehabt hatte.

9. Was machte der Tourist?
   A. Er lief schnell bergab.
   B. Er setzte seinen Aufstieg fort.
   C. Er fiel auch in die Spalte.
   D. Er saß und weinte unaufhörich.

10. Warum beschlossen Heinrich und seine Freundin, dem Mann nicht zu helfen?
    A. Weil sie Angst hatten.
    B. Weil sie unerfahrene Bergsteiger waren.
    C. Weil sie mit ihrem Essen noch nicht fertig waren.
    D. Weil es schneite und sie trugen nur Badeanzüge.

11. Was sahen sie eine Stunde später?
    A. Die Bergwacht, die auf dem Berg war.
    B. Viele Schutzmänner in der Berghütte.
    C. Die Berghütte, worin der Unfall geschehen war.
    D. Die zwei Punkte, die noch bergauf kletterten.

12. Die zwei Punkte, die sie auf dem Gletscher gesehen hatten, waren
    A. zwei Bergsteiger, die sich verirrt hatten.
    B. nur zwei große Felsen.
    C. zwei Schneemänner.
    D. ein Mann und seine Frau.

13. Gefaßt

Herr und Frau Huber kommen gerade von einer Geburtstagsfeier im Hause ihrer Tochter zurück. Sie selbst wohnen am Stadtrand im letzten Haus ihrer Straße. Sie sind noch etwa hundert Meter von ihrem Haus entfernt, als Frau Huber plötzlich stehenbleibt.

„Sag mal, hab' ich denn im Schlafzimmer das Licht nicht gelöscht?" Durch die herabgelassenen Rolläden schimmern oben einige Lichtstreifen. Dasselbe bemerken sie jetzt auch im Wohnzimmer.

„Übrigens, das Licht im Hof brannte doch, als wir weggingen".

„Du hast recht, daran erinnere ich mich genau!"

Herr und Frau Huber sind nun näher an ihr Haus herangekommen. Als sie nun noch ein unbeleuchtetes Auto vor ihrem Haus stehen sehen, schießt ihnen plötzlich ein Gedanke durch den Kopf: Einbrecher!

„Lauf schnell zurück zur Telefonzelle an der Ecke. Die Nummer der Polizei ist 333. Sag ihnen, sie sollen sofort kommen!" bittet Herr Huber seine Frau. Er selbst bleibt zur Beobachtung in der Nähe des Hauses.

Frau Huber ist kaum zurückgekommen, als sie schon ein Auto ankommen hören. Die Polizisten parken ihren Überfallwagen in einiger Entfernung und nähern sich nun zu Fuß.

„Ihren Haustürschlüssel, bitte. Und Sie selbst ziehen sich bitte zurück! Wo können wir Sie nachher sprechen?"

„Bei unserer Tochter in der Brückenstraße 12".

Dort ist die Geburtstagsfeier noch im Gange, und die beiden bringen große Aufregung mit. Es sind noch zwanzig Minuten vergangen, als es draußen läutet. Es ist die Polizei.

„Sie können mitkommen in Ihre Wohnung. Wir haben sie gefaßt. Es scheint ein guter Fang zu sein".

„Aber Herr Wachtmeister, ich kann das gar nicht verstehen. Wie konnten die denn in unsere Wohnung kommen? Wir hatten doch alles gut verschlossen!" sagt Frau Huber ganz aufgeregt.

„Bis auf Ihr Küchenfenster auf der Hinterseite des Hauses!"

Herr Huber sieht seine Frau vorwurfsvoll an: „Wie konntest du nur das Fenster offen lassen?"

„Es stimmt", antwortet sie, „ich habe das Fenster offen gelassen. Duweißt doch,ι, daß wir heute mittag Fisch hatten, und du kannst doch immer den Fischgeruch in der Küche nicht leiden".

1. Wo hatte das Ehepaar den Abend verbracht?
    A. Am Stadtrand im letzten Haus der Straße.
    B. Bei ihrer Tochter, die etwas feierte.
    C. Zu Hause vor dem Kamin, weil sie Geburtstag hatten.
    D. Mit Herrn und Frau Huber.

2. Wie kamen sie nach Hause?
    A. Im Auto ihrer Tochter.   C. Zu Fuß.
    B. Spät am Abend.   D. In einem unbeleuchteten Auto.

3. Frau Huber blieb plötzlich stehen,
    A. um das Licht im Schlafzimmer zu löschen.
    B. als sie den Stadtrand erreichte.
    C. um die Rolläden herabzulassen.
    D. als sie ein Licht im Schlafzimmer sah.

4. Wieviele Lichter brannten?
    A. Ein Licht.   C. Drei Lichter.
    B. Keine Lichter.   D. Zwei Lichter.

5. Welches Licht hatte Frau Huber absichtlich nicht gelöscht?
    A. Das Licht im Wohnzimmer.
    B. Das Licht im Schlafzimmer.
    C. Sie hatte alle Lichter gelöscht.
    D. Das Licht im Hof.

6. Als sie sich dem Haus näherten,
    A. sahen sie ein Auto ohne Licht davor stehen.
    B. gingen die Lichter im Hause aus.
    C. sahen sie einen Einbrecher.
    D. wurde die Straße unbeleuchtet.

7. Herr Huber beschloß plötzlich,
    A. den Einbrecher zu verhaften.
    B. seine Tochter anzurufen.
    C. die Polizei anzurufen.
    D. so schnell wie möglich wegzulaufen.

8. Wo war Frau Huber, als der Streifenwagen ankam?
    A. In der Telefonzelle.   C. In der Polizeiwache.
    B. Bei ihrer Tochter.   D. Wieder bei ihrem Mann.

9. Wie kamen die Polizisten ins Haus des Ehepaars?
   A. Sie kletterten durch ein offenes Fenster.
   B. Herr Huber hatte ihnen den Türschlüssel gegeben.
   C. Frau Huber öffnete für sie die Haustür.
   D. Sie gingen durch die offene Hintertür.

10. Die Gäste bei Hubers Tochter waren sehr aufgeregt,
    A. weil es eine lustige Geburtstagsfeier war.
    B. als das Ehepaar seine Geschichte erzählte.
    C. weil sie viel getrunken hatten.
    D. als die Tochter ihre Verlobung verkündete.

11. Die Einbrecher sind ins Haus gekommen
    A. durch das offene Küchenfenster.
    B. durch die verschlossene Haustür.
    C. ,weil die Polizie sie jagte.
    D. ,um etwas zu essen zu finden.

12. War das Fenster absichtlich geöffnet worden?
    A. Nein, weil es viele Einbrecher in der Nachbarschaft gab.
    B. Ja, weil die Küche nach Fisch roch.
    C. Nein, weil niemand zu Hause war.
    D. Ja, weil Frau Huber den Fischgeruch nicht leiden konnte.

14. Am Fahrkartenschalter

Da die Autobahnen in der Reisezeit immer ziemlich überfüllt sind, ist das Reisen sehr anstrengend und oft auch gefährlich. Familie Hansen aus Hamburg hat sich deshalb entschlossen, in diesem Jahr mit der Eisenbahn in Urlaub zu fahren.

Herr Hansen ist gerade am Hauptbahnhof und will die Fahrkarten lösen. Er hat Glück. Obwohl an einigen Schaltern die Leute Schlange stehen, findet er einen Schalter, wo er sofort an die Reihe kommt. Der freundliche Beamte fragt ihn nach seinen Wünschen:

„Bitte schön!"

„Ich möchte mit meiner Familie nach Oberammergau fahren. Welchen Zug würden Sie mir da empfehlen?"

„Möchten Sie am Tag fahren oder lieber nachts?"

„Wir möchten bei Tag fahren", sagt Herr Hansen und denkt dabei an den Spaß, den seine beiden dreijährigen Jugen haben würden, wenn sie zum ersten Male Deutschland von Norden nach Süden durchqueren.

„Es gibt da einen sehr günstigen Zug. Es ist der ‚Blaue Enzian‘, der von Hamburg nach Salzburg fährt. Er ist einer der schnellsten Züge der Deutschen Bundesbahn. Sie brauchen für die 820 Kilometer bis nach München nur ungefähr 7½ Stunden. In München müssen Sie umsteigen und haben gleich Anschluß nach Oberammergau".

„Gut! Den nehmen wir".

„Allerdings gibt es im ‚Blauen Enzian‘ nur 1. Klasse. Sie müßten dann 50% mehr als in der 2. Klasse bezahlen".

„Das wird mir leider zu teuer. Wir müssen dann einen anderen Zug nehmen".

„Da ist noch der ‚Tirol-Expreß‘, der von Hamburg nach Innsbruck fährt. Der hat auch 2. Klasse".

„Der wäre günstig für uns. Bitte geben Sie mir zweimal Hin- und Rückfahrt für Erwachsene und zweimal für Kinder unter zehn. Soviel ich weiß, bezahlen Kinder ja nur den halben Fahrpreis".

„Kinder bis zu vier Jahren sind frei, Kinder bis 10 zahlen die Hälfte".

„Kann ich auch Plätze reservieren lassen?"

„Selbstverständlich! Das kostet allerdings noch einmal 2 Mark je Platz".

„Reservieren Sie bitte vier Plätze für den 24. Juli. Sagen Sie mir bitte noch die genaue Abfahrtszeit und den Bahnsteig?"

„Der Zug fährt hier 7.15 auf Bahnsteig 12 ab, und Sie sind um 18.45 schon in Oberammergau. Ich schreibe Ihnen das alles noch einmal genau auf".

Der Beamte stellt die Fahrkarten aus und schreibt die Zeiten auf. Herr Hansen bezahlt ungefähr 370 Mark. Das wird diesmal eine ziemlich teure, dafür aber sicher angenehme und erholsame Reise werden.

1. Warum ist das Reisen mit dem Auto sehr anstrengend und gefährlich?
   A. Weil die Autofahrer sehr vorsichtig sind.
   B. Weil der Straßenverkehr jedes Jahr sich vermehrt.
   C. Weil heutzutage zu viele Frauen fahren.
   D. Weil die Autobahnen zu eng und kurvenreich sind.

2. Familie Hansen fuhr in diesem Jahr
   A. nach Hamburg.   C. mit dem Zug.
   B. mit dem Auto.   D. nach Norddeutschland.

3. Wie bekamen sie die Fahrkarten?
   A. Frau Hansen fand sie in einer Schublade.
   B. Herr Hansen bekam sie von einer Schlange.
   C. Der Beamte hatte sie schon in der Tasche.
   D. Herr Hansen löste sie am Bahnhof.

4. ‚Schlange stehen'
   A. ist, wenn einige Leute in einer Reihe stehen.
   B. ist Goethes berühmtestes Schauspiel.
   C. ist, wenn Schlangen aufrecht stehen.
   D. ist ein neuer deutscher Schlager.

5. Herr Hansen wollte wissen,
   A. ob der Beamte mitfahren wollte.
   B. welche Schlange er kaufen sollte.
   C. wo Oberammergau war.
   D. welcher Zug der beste wäre.

6. Warum würden die Kinder Spaß haben?
   A. Weil sie nie vorher mit dem Zug gefahren waren.
   B. Weil sie nachts fuhren.
   C. Weil der Beamte mitkommen wollte.
   D. Weil sie durch ganz Westdeutschland fahren sollten.

7. Was ist Salzburg?
   A. Eine Burg aus Salz.
   B. Der Name eines deutschen Schnellzuges.
   C. Eine sehr große Stadt am Rande des Salzkammerguts.
   D. Die Hauptstadt von Österreich.

8. Warum würde Familie Hansen in München umsteigen müssen?
   A. Weil München die Endstation war.
   B. Weil sie nach Salzburg fahren wollten.
   C. Wegen eines Streiks auf der Deutschen Bundesbahn.
   D. Weil der ‚Blaue Enzian' nicht nach Oberammergau fuhr.

9. Herr Hansen beschloß, nicht mit dem ‚Blauen Enzian' zu fahren,
   A. weil dieser Zug nur nachts fuhr.
   B. weil es nur Abteile erster Klasse gab.
   C. wegen seines Reisefiebers.
   D. wegen der Billigkeit der Fahrkarten.

10. Was ist Innsbruck?
    A. Eine Stadt in Südostdeutschland.
    B. Der Hund der Familie Hansen.
    C. Eine Brücke über den Inn.
    D. Eine Stadt in Tirol.

11. Wieviel kosteten die Fahrkarten für die Kinder?
    A. Sie kosteten dasselbe wie eine Fahrkarte für einen
       Erwachsenen.
    B. Sie kosteten nichts, weil Herr Hansen Bahnangestellter war.
    C. Sie kosteten vier Mark.
    D. Sie kosteten nichts, weil die Kinder erst drei Jahre alt waren.

12. Wie konnte Herr Hansen sich an die Einzelheiten der Reise
    erinnern?
    A. Weil er ein gutes Gedächtnis hatte.
    B. Weil er jedes Jahr mit demselben Zug fuhr.
    C. Weil der Beamte ihm einen Fahrplan gegeben hatte.
    D. Weil der Beamte alles aufschrieb.

15. *Der erste Schnee*

Es war in den Weihnachtsferien. Rolf erwachte zur gewöhnlichen
Zeit. Er wollte sich gerade auf die andere Seite legen, um noch ein
bißchen weiterzuschlafen, als er von draußen ein ungewohntes
Geräusch hörte. Das klang ja gerade so, als ob jemand schon so früh
den Bürgersteig kehren würde. „Nanu, das ist aber seltsam!" dachte
Rolf. Da ging auch schon die Schlafzimmertür auf, und Rolfs
Mutter kam herein und zog die Läden hoch.

„Heraus aus dem Bett, Kinder! Heute nacht hat es geschneit, und
es hört immer noch nicht auf. Vater ist schon draußen und macht
den Bürgersteig frei".

Mit beiden Füßen sprang Rolf aus dem Bett. Inzwischen war auch
sein jüngerer Bruder wach geworden und sprang zu ihm ans Fenster.

„Mensch, schau doch mal, wie das schneit! Da können wir heute
mittag schon Schlitten fahren".

Wirklich sah das nicht so aus, als ob es bald aufhören wollte. Der
ganze Himmel schien noch voller Schneewolken. Und was war das
für ein herrlicher Schnee, Pulverschnee, der in kleinen Flocken
schnell zur Erde herabwirbelte. Der Schneefall war nun so dicht
geworden, daß man kaum noch dreißig Meter weit sehen konnte.

In Nu war Rolf im Badezimmer und unter der Dusche. Das
Zähneputzen und Kämmen hatte er fast vergessen. Fertig angezogen,
wollte er gerade hinausstürmen, als ihn seine Mutter in die Küche zog,
wo das Frühstück schon bereitstand.

Von draußen hörte man nun, wie Vater den Schnee von seinen
Schuhen abklopfte. Er sah aus wie ein Schneeman und ging ins
Badezimmer, um sich dort vom Schnee zu befreien.

„Wie gut, daß mein Auto gut bereift ist", sagte er, als er in die
Küche eintrat.

Er hatte nämlich in der Vorwoche seine Sommerreifen gegen
Eisreifen austauschen lassen.

1. Rolf erwachte
   A. zur selben Zeit wie immer.
   B. spät wie gewöhnlich.
   C. kurz nach dem Frühstück.
   D. ungewöhnlich früh.

2. Warum ging er heute nicht in die Schule?
   A. Weil der Schnee zu hoch lag.
   B. Weil er auf Ferien war.
   C. Weil er ein bißchen weiterschlafen wollte.
   D. Weil er ein ungewohntes Geräusch gehört hatte.

3. Wo war das ungewohnte Geräusch?
   A. Nebenan im Schlafzimmer.
   B. Unter dem Bett seiner Eltern.
   C. Beim Bürgermeister der Stadt.
   D. Auf der Straße vor dem Haus.

4. Wie waren die Vorhänge im Schlafzimmer?
   A. Sie waren bunt gefärbt.
   B. Sie waren zugezogen.
   C. Es gab keine Vorhänge, sondern Läden.
   D. Sie waren hinter der Schlafzimmertür.

5. Wie war das Wetter im Augenblick?
   A. Es schneite noch.
   B. Die Sonne schien.
   C. Gestern hatte es geregnet.
   D. Im Augenblick war der Vetter noch im Bett.

6. Rolfs Vater machte den Bürgersteig frei
    A. mit einem Besen und Schaufel.
    B. mit einem Schnorchel.
    C. ,weil er Straßenkehrer war.
    D. ,weil er sehr schmutzig war.

7. Wo war die Sonne?
    A. Sie war untergegangen.
    B. Sie war hinter den Wolken verborgen.
    C. Sie war im Badezimmer.
    D. Man hatte sie ausgelöscht.

8. Man konnte nicht sehr weit sehen,
    A. weil der Schnee so dicht fiel.
    B. weil die Fenster zugefroren waren.
    C. weil es mitten in der Nacht war.
    D. weil der Schnee so hoch lag.

9. Was machte Rolf, nachdem er aus dem Badezimmer kam?
    A. Er zog sich aus.   C. Er stand unter der Dusche.
    B. Er ging ins Bett zurück. D. Er zog sich an.

10. Er konnte nicht sofort hinausgehen,
    A. weil er keine Kleider anhatte.
    B. weil der Schnee so hoch lag.
    C. weil das Abendessen bereitstand.
    D. weil er noch nicht gefrühstückt hatte.

11. Warum war Rolfs Vater mit Schnee bedeckt?
    A. Weil es draußen auf der Straße schneite.
    B. Weil es stark regnete.
    C. Weil er ein Schneemann war.
    D. Weil er den Nordpol eben besucht hatte.

12. Er hatte die Sommerreifen austauschen lassen
    A. vor einer Woche.   C. vorgestern.
    B. vor zwei Wochen.   D. übermorgen.

PART VII

ORAL QUESTIONS

General Notes on this Section

This section has been divided into 11 sub-sections. The questions are by no means exhaustive, but will provide a solid framework for this very important part of the C.S.E. examination.

The basic object of the Oral Examination is to see if a pupil can talk about everyday things in simple German. Unfortunately too many pupils think that they are supposed to answer the examiner's questions, and nothing more. In this way the 'conversation' develops into an 'interrogation'! Both examiner and examinee find the stipulated time very exhausting and invariably the pupil will not perform to his usual standard. "Why did you not ask me about . . .?" is a usual comment by a pupil after the event. The pupil must be made to realise that if he wants to say something he must take the opportunity when it presents itself. The question "Wie heißt du?" produces the reply "Ich heiße X", and the pupil then waits for the next question, instead of taking the opportunity of giving as much information about himself as possible. An examiner, when faced with a candidate who is prepared to do this, finds this a refreshing change, and both of them will enjoy the 'ordeal'. In this way, this aspect of the C.S.E. examination is really conversation.

Personal Questions

1. Wie heißt du?
2. Wie alt bist du?
3. Wann bist du geboren?
4. Was tust du, wenn du Geburtstag hast?
5. Von wem bekommst du Geschenke?
6. Beschreibe deine Eltern.
7. Hast du eine Schwester?
8. Wie alt ist sie?
9. Hast du einen Bruder?
10. Wie alt ist er?
11. Wo arbeitet dein Vater?
12. Arbeitet deine Mutter?
13. Wo wohnst du?

14. Hast du dein eigenes Zimmer?
15. Was machst du dort?
16. Was machst du, wenn es regnet?
17. Wo spielst du mit deinen Freunden?
18. Gehst du oft ins Kino?
19. Mit wem gehst du?
20. Was machst du, wenn die Sonne scheint?
21. Spielst du ein Instrument?
22. Liebst du Musik?
23. Hast du woanders gewohnt?
24. Warum bist du hierher umgezogen?
25. Möchtest du woanders wohnen?

The House

1. Wieviele Zimmer hat dein Haus?
2. Wieviele oben?
3. Wie heißen die Zimmer unten?
4. Beschreibe dein Schlafzimmer.
5. Was findet man in einem Wohnzimmer?
6. Was tut man in der Küche?
7. Kannst du kochen?
8. Was kochst du?
9. Hast du einen Fernsehapparat?
10. Wie lange siehst du fern am Abend?
11. Was für ein Haustier hast du?
12. Beschreibe deinen Garten.
13. Arbeitest du gern im Garten?
14. Hast du einen Gartenschuppen?
15. Was findet man in einem Gartenschuppen?
16. Hast du eine Garage?
17. Was findet man da?
18. Seit wie lange wohnst du in diesem Haus?
19. In welchem Zimmer ißt man/ schläft man/ wäscht man sich?
20. Ist dein Haus in der Stadt oder auf dem Lande?
21. Womit bedeckt man den Fußboden/ die Wände?
22. Wie ist dein Haus geheizt?
23. Ist es gut warm in Winter, oder kalt?
24. Wo möchtest du wohnen, wenn du genug Geld hättest?
25. Was findet man in einer Küche?

School

1. Um wieviel Uhr beginnt die Schule morgens?
2. Wie kommst du in die Schule?
3. Wann verläßt du das Haus?
4. Wieviele Lehrstunden hast du am Tag?
5. Welche Fächer lernst du in der Schule?

6. Was ist dein Lieblingsfach?
7. Wann endet die letzte Morgenstunde?
8. Was machst du dann?
9. Wann beginnt die Schule wieder?
10. Was machst du, wenn die Schule aus ist?
11. In welcher Klasse bist du?
12. Wieviele Schüler sind in deiner Klasse?
13. Beschreibe den Mathematiklehrer!
14. Wohnst du weit von der Schule?
15. Ist die Schule groß, mittelgroß oder klein?

16. Wieviele Schüler hat sie?
17. Gehst du gern in die Schule?
18. Verläßt du die Schule am Ende des Schuljahrs?
19. Was willst du machen, wenn du die Schule verlassen hast?
20. Was sieht man in einem Klassenzimmer?
21. Womit schreibt man?
22. Womit zeichnet man?
23. Hat deine Schule ein Schwimmbad?
24. Wo ist das nächste Schwimmbad?
25. Wieviele Turnhallen hat die Schule?

Time, Date and Weather

1. Wieviel Uhr ist es?
2. Den wievielten haben wir heute?
3. Wann ist Weihnachten?
4. Wann ist Pfingsten?
5. Wann ist Ostern?
6. Wie ist das Wetter heute?
7. Wie ist das Wetter im Sommer?
8. Was machst du dann?
9. Wie ist das Wetter im Winter?
10. Was machen Kinder im Winter?
11. Um wieviel Uhr stehst du auf?
12. Wann gehst du zu Bett?
13. Wie heißen die Jahreszeiten?
14. Wieviele Tage hat ein Schaltjahr?

15. Wieviele Tage hat der Februar?
16. Wo kann man die Winterferien verbringen?
17. Schwimmst du gern?
18. Wo kann man in dieser Gegend wandern?
19. Was ist die beste Zeit des Jahres? Warum?
20. Wer findet das Wetter nicht schön im Winter? Warum?
21. Was macht man, wenn Eis auf einem Teich ist?
22. Was machst du, wenn es heiß ist?
23. Was machst du, wenn es kalt ist?
24. Wann hast du Geburtstag?
25. Kannst du segeln?

Meals

1. Wo ißt du?
2. Wo bereitet man das Essen vor?
3. Wieviele Mahlzeiten gibt es täglich?
4. Wie heißen die Mahlzeiten?
5. Was ißt du zum Frühstück?
6. Um wieviel Uhr ißt du es?
7. Wann ißt du gewöhnlich das Mittagessen?
8. Wo ißt du es während der Woche?
9. Woraus trinkt man Tee/ Bier/ Wein?
10. Trinkst du lieber Tee oder Kaffee?
11. Was ist deine Lieblingsspeise?
12. Ißt du Fruchtsalat gern?
13. Was essen die Deutschen zum Frühstück?
14. Welches Gemüse ißt du gern?
15. Welches Obst ißt du gern?
16. Was ißt man zu Weihnachten in England?
17. Was hast du heute zum Frühstück gegessen?
18. Was für Gewürze stellt man auf den Tisch?
19. Von welchem Tier bekommt man Rindfleisch? und Kalbfleisch? und Schweinefleisch?
20. Was macht man mit dem Geschirr, wenn die Mahlzeit zu Ende ist?
21. Was sind Ostereier?
22. Wann ißt man sie?
23. Was gibt dir der Kellner, wenn du in ein Restaurant gehst?
24. Was bringt dir der Kellner nach dem Essen in einem Restaurant?
25. Wann ißt du?

Shopping

1. Wohin gehst du, um einzukaufen?
2. Wie gehst du dorthin?
3. Wo kauft man Butter/ Fleisch/ Brot/ Gemüse/ Kleider/ Briefmarken/ Medikamente?
4. Was kann man in einem Tabakgeschäft kaufen?
5. Was macht ein Schneider?
6. Warum geht man zu ihm?
7. Was sagt ein Verkäufer, wenn du in seinen Laden kommst?
8. Was antwortest du?
9. Worin trägst du deine Einkäufe?
10. Was kann man in einem Café bestellen?
11. Was bestellt man in einem Restaurant?
12. Was verkauft ein Bäcker/ ein Metzger/ ein Juwelier/ und ein Apotheker?
13. Wo kann man fast alles kaufen?
14. Wo sind die besten Läden?
15. Wann fährst du dorthin?

16. Was für Geld benutzt man in Deutschland?
17. Was sagst du, wenn du etwas gekauft hast?
18. Wie sagt man auf deutsch, welches Gewicht man von etwas (wie Fleisch, Obst usw.) haben will?
19. Was für Gemüse kaufst du?
20. Was für Obst kaufst du?
21. Was sieht man in einem Schaufenster?

22. Wohin gehst du, um dir die Haare schneiden zu lassen?
23. Machst du gern Einkäufe?
24. Machst du die Einkäufe allein?
25. Worin trägst du die Einkäufe in einem Supermarkt?

Countries and Geography

1. Nenne sieben europäische Länder.
2. Nenne fünf deutsche Flüsse.
3. Wo liegt die Bundesrepublik?
4. Was ist ihre Hauptstadt?
5. Wo liegt Bremen/ München/ Frankfurt?
6. Wo ist Wien?
7. An welchem Fluß liegt es?
8. Was sind die Sprachen Europas?
9. Was ist der längste Fluß in Deutschland?
10. Wo beginnt er und wo endet er?
11. Was trennt England von Frankreich?
12. Was ist die Bevölkerung der Bundesrepublik?
13. Wo sind Deutschlands Küsten?

14. Bist du nach Europa gefahren?
15. Hast du Deutschland besucht?
16. Was für ein Klima hat Deutschland?
17. Wie fährt man nach Deutschland?
18. Wieviele Länder hat Westdeutschland?
19. Was ist Deutschlands größte Industrie?
20. Wo ist das größte Industriegebiet?
21. Beschreibe die westdeutsche Fahne.
22. Wo wohnen deine Verwandten?
23. Wo ist deine Heimatstadt?
24. Fährst du oft nach London?
25. Wo ist London?

Travel and Holidays

1. Wie kannst du von England nach Amerika fahren?
2. Wann hast du die längsten Ferien?

3. Was machst du während dieser Ferien?
4. Gehst du oft auf Reisen zu Verwandten?

5. Was kaufst du, wenn du eine Reise machst?
6. Wo kaufst du es?
7. Wie reist du am liebsten?
8. Fährst du lieber an die See oder in die Berge?
9. Wo hast du deine Ferien letztes Jahr verbracht?
10. Was kann man auf dem Lande machen?

11. Was kann man an der See machen?
12. Was macht man in den Bergen?
13. Wie kann man reisen?
14. Was sind deine Lieblingsferien?
15. Wo verbringst du deine Ferien am liebsten? Warum?

Pastimes and Hobbies

1. Was ist dein Steckenpferd?
2. Warum hast du es gern?
3. Wie verbringst du den Freitagabend?
4. Was machst du am Wochenende?
5. Wo machst du es?
6. Betreibst du Sport?
7. Wo spielst du?
8. Gehst du gern zu einer Party?

9. Hast du einen Brieffreund oder eine Brieffreundin?
10. Wo wohnt er/sie?
11. Liest du Bücher?
12. Welche Bücher liest du?
13. Kannst du schwimmen?
14. Wozu benutzest du den Samstagnachmittag?
15. Was machst du am Sonntagmorgen?

Body and Clothing

1. Womit hörst du?
2. Womit siehst du?
3. Was hat man auf dem Kopf?
4. Was trägt man auf dem Kopf?
5. Wie sind deine Augen?
6. Wie ist dein Haar?
7. Wie groß bist du?
8. Beschreibe deine Kleider.
9. Was trägst du, wenn es kalt ist?

10. Und wenn du schwimmst?
11. Wann trägst du eine Sonnenbrille?
12. Wann trägt man eine Brille?
13. Was trägst du in der Turnhalle?
14. Womit putzt du dir die Zähne?
15. Wieviele Zehen hast du?

Christmas

1. Was machst du zu Weihnachten?

2. Womit schmückt man das Haus?

3. Was hast du im Wohnzimmer zu Weihnachten?
4. Beschreibe den Weihnachtsmann!
5. Was schreibst du zu Weihnachten?
6. Was für Wintersport betreibt man während der Winterferien?
7. Hast du deine Winterferien je im Ausland verbracht?
8. Wann ist der Sylvesterabend?
9. Wie feierst du ihn?
10. Was bekommst du zu Weihnachten und von wem?
11. Wie lange sind die Ferien zu Weihnachten?
12. Was machst du während der Ferien?
13. Gehst du zu Verwandten oder kommen sie zu dir?
14. Wo möchtest du deine Winterferien verbringen?
15. Beschreibe einen Weihnachtsbaum.

QUESTIONS FOR AURAL COMPREHENSION PASSAGES

1. The Celebration

1. Why did they all go out?
2. How many people were in the party?
3. Which table did they choose in the restaurant?
4. Why was one of the men worried before they went into the restaurant?
5. What did they have to eat and drink?
6. How did Herr Mach show his delight at the meal?
7. Why were they all so happy before they left the restaurant?
8. What was the second surprise?
9. What did Herr Mach find delightful there?
10. What pleased Frau Mach?

---

1. Wieviele Leute waren in der Gruppe?
2. Warum gingen sie aus?
3. Wieviele Tische waren noch frei?
4. Welchen Tisch wählten sie?
5. Was für Essen bestellten sie?
6. Was haben sie getrunken?
7. Was machte Herr Mach, um zu zeigen, daß das Essen geschmeckt hatte?
8. Was machten sie alle während des Essens?
9. Wer bezahlte die Rechnung?
10. Wohin gingen sie, sobald sie das Restaurant verlassen hatten?

2. A Likely Story!

1. What did the two boys look like when they entered the house?
2. What did their mother say to them?
3. Why had they begun to run?

4. What happened to Wilhelm?
5. Why was the bird frightened?
6. How did the boys try to get it out of the water?
7. Why did Johann fall into the water?
8. Why did he pull his brother in with him?
9. What did their mother tell them to do after Wilhelm had finished his story?
10. What did she expect them to do later?

---

1. Wie waren die Jungen, als sie nach Hause kamen?
2. Wer erzählte die Geschichte?
3. Wo waren sie gewesen?
4. Was hatte Johann gesehen?
5. Warum fiel Wilhelm hin?
6. Warum sprang das Vögelchen ins Wasser?
7. Woran hielt Wilhelm seinen Bruder fest?
8. Warum waren die beiden Jungen im Wasser?
9. Warum war ihre Mutter nicht böse?
10. Was mußten die Brüder sofort machen?

3. The Forgetful Boy

1. What was Johann doing at the beginning of the story?
2. What did his mother ask him to get?
3. Why couldn't she go herself?
4. What were Peter and Renate Braun doing?
5. Why was Peter happy?
6. What was the matter with Renate's bicycle?
7. What did the Brauns want to do?
8. Why had Johann forgotten what to get?
9. Where was the baker's shop?
10. What did Johann do when he got home, and why?

---

1. Was machte Johann zu Hause?
2. Was mußte er kaufen?
3. In welche Läden geht man, um sie zu kaufen?
4. Wen traf er unterwegs?
5. Was hatte Herr Braun für Peter gekauft?
6. In welchen Laden gingen die drei Kinder?
7. Wohin wollten Peters Freunde nun gehen?

8. Was findet man in einer Bibliothek?
9. Was hatte Johann vergessen?
10. Was machte er, um diesen Fehler zu verbessern?

4. *The New Motorbike*

1. Why did Karl have a motorbike?
2. Where was he going?
3. Why did Annette go with him?
4. Why couldn't they see the castle at first?
5. When did they see it?
6. What did Annette ask him to do?
7. Why did Karl brake?
8. What happened then?
9. Why were they not hurt?
10. Why was Karl worried?

---

1. Warum hatte Karl ein neues Motorrad?
2. Wo war das Schloß ?
3. Warum fuhr Annette mit?
4. Warum konnten sie zuerst das Schloß nicht sehen?
5. Wie war die Landstraße , nachdem sie den höchsten Punkt erreicht hatten?
6. Wie wissen wir, daß Annette Angst hatte?
7. Was war am Fuß des Hügels?
8. Warum waren sie unverletzt?
9. Was sahen sie, als sie durch die Hecke schauten?
10. Warum hatte Karl große Angst?

5. *Anxiety in the Tube*

1. When does the story take place?
2. What work did most of the travellers do?
3. Why was it unpleasant travelling in the tube?
4. How do you know that everyone was quiet when the tube stopped?
5. How did some people try to see?
6. How did one compartment try to cheer themselves up?
7. Why was there no panic in one section?
8. When did the lights come on again?
9. Why did everyone get out at the next station?
10. How were they when they got out?

1. In welcher Stadt findet diese Geschichte statt?
2. Wo arbeiteten die meisten Reisenden?
3. Warum war der Tag unangenehm für sie gewesen?
4. Wie waren die Züge?
5. Wie versuchte man etwas zu sehen?
6. Warum war keine Panik in einem der Wagen?
7. Warum weinte das Mädchen?
8. Wann gingen die Lichter wieder an?
9. Warum mußten die Fahrgäste blinzeln?
10. Warum stiegen sie alle an der nächsten Station aus?

6. The Picnic

1. When had the holidays begun?
2. What did the parents decide to do, and why?
3. What two things did they do when they arrived at the picnic spot?
4. What use did the bushes have?
5. Why did Herr Huber shout to Manfred?
6. What were they going to eat?
7. How do you know that Uschi was hungry?
8. Why did father jump up?
9. What did his wife do then?
10. Where did they finally eat?

---

1. Wann hatten die Sommerferien begonnen?
2. Warum waren die Kinder gelangweilt?
3. Wohin fuhr die Familie, um ein Picknick zu machen?
4. Was wollte Manfred machen, sobald sie ankamen?
5. Was fanden sie oben auf dem Gipfel des Hügels?
6. Warum lief Manfred wieder nach unten?
7. Was hatten sie zu trinken?
8. Warum sprang Herr Huber auf?
9. Was machte Frau Huber?
10. Wo aßen sie schließlich?

7. It served him right

1. Why did Hans wake up?
2. What did he do in the bathroom?
3. Why did he have to hurry?
4. What was the weather like when he looked out of the window?
5. Why didn't he want to take his raincoat?

6. Where did he meet his friends?
7. Why did he laugh when he caught up with his friends?
8. What made him look up at the sky?
9. Why did they all run quickly?
10. What did his mother do when she heard the rain?

---

1. Was weckte Hans auf?
2. Was machte er im Badezimmer?
3. Warum rannte er in die Küche?
4. Wie war der Wetterbericht?
5. Wie war das Wetter, als er zum Fenster hinausschaute?
6. Wen traf er auf der Straße?
7. Wo war der Kiosk?
8. Was hatten seine Freunde mit?
9. Was sah er am Himmel?
10. Wie war er, als er die Schule erreichte?

8. *The Absent-minded Man*

1. Why was Frau Roland in hospital?
2. Why was her sister Hilda coming?
3. Where did Hilda live?
4. When did Herr Roland remember she was coming?
5. Where did he go to meet her?
6. Why did he suddenly jump up?
7. Where was his umbrella when it started raining?
8. How many taxi rides did he have altogether?
9. What was Hilda doing when he finally found her?
10. How had she got into the house?

---

1. Warum war Frau Roland im Krankenhaus?
2. Warum würde ihr Mann nicht allein sein?
3. Wo wohnte Hilda?
4. Wo war Herr Roland, als er sich an Hildas Ankunft erinnerte?
5. Wohin ging er zuerst?
6. Warum war er erstaunt, als er auf seine Uhr schaute?
7. Wie fuhr Herr Roland zum Bahnhof?
8. Was hatte er an der Bushaltestelle vergessen?
9. Was machte Hilda, als Herr Roland nach Hause kam?
10. Wie war sie ins Haus gekommen?

9. Caught at the Customs

1. How long was the journey?
2. What were the men carrying?
3. With whom did they leave the ship?
4. What did they decide to do when they reached the Customs?
5. What did the official do to the first man's case?
6. What did the man then do?
7. What did the official find at first in the second man's case?
8. What made him order the man into the room?
9. What was found in the case and where?
10. What did the first man do when he saw his friend go into the small room?

_____

1. Wie fuhren die zwei Männer?
2. Wie lange dauerte die Reise?
3. Was machten die Männer, als sie den Zoll erreichten?
4. Was waren die ersten Worte des Zollbeamten?
5. Wie machte er das Zeichen auf dem Koffer?
6. Wo wartete dann der Mann?
7. Warum konnte der Beamte den Koffer des zweiten Mannes nicht heben?
8. Wohin gingen der Mann und der Beamte?
9. Wo waren die Uhren?
10. Was fand der Beamte noch?

10. Return to Earth

1. How long was the return journey?
2. What did the astronauts do during this return journey?
3. What had they found on the moon?
4. What two things did they also do there?
5. Why were they so pleased with their trip to the moon?
6. How did they know they were nearly home?
7. What did they see on re-entry?
8. What did they do then?
9. How do you know what the sea was like?
10. What did the frogmen do?

_____

1. Wo waren die Astronauten?
2. Wo waren sie gewesen?
3. Was hatten sie dort gefunden?

4. Warum flogen sie nun viel schneller?
5. Was sahen sie unter sich, als sie durch das Fenster schauten?
6. Was machten sie, sobald sie in der Erdatmosphäre waren?
7. Wie war die See?
8. Was machte der erste Hubschrauber?
9. Wohin sprangen die Froschmänner?
10. Wohin flog der zweite Hubschrauber mit den Astronauten?

11. Money Problems

1. Where and when had they arranged to meet?
2. What time did Annette arrive?
3. What did they have in the cafe?
4. Why did they go to the fair?
5. What did Peter win there?
6. How long were they there?
7. Why did they not go into the cinema as soon as they arrived?
8. Where in the cinema did they sit?
9. Why did Peter blush?
10. What did Annette do?

1. Wo und wann trafen sich Annette und Peter?
2. Warum lachte Peter, als Annette „Bitte um Entschuldigung" sagte?
3. Was aßen und tranken sie im Café?
4. Um wieviel Uhr verließen sie das Café?
5. Wo war der Jahrmarkt?
6. Was für einen Preis gewann Peter da?
7. Warum mußten sie warten, als sie vor dem Kino ankamen?
8. Welche Karten kaufte Peter im Kino?
9. Warum wurde er rot?
10. Wie half ihm Annette?

12. A Camping Weekend Ruined

1. Where exactly did the boys want to go camping?
2. What five things did they take with them?
3. How long was the journey and how did they travel?
4. Where did they pitch the tent?
5. What did they then do?
6. How did they spend the afternoon?
7. Why did Friedrich wake up in the night?

8. Why did they leave the tent?
9. Where did they spend the rest of the night?
10. What did they finally decide to do?

---

1. Wo wollten die Jungen zelten?
2. Wann trafen sie sich?
3. Wie fuhren sie zum See?
4. Wie lange dauerte die Reise?
5. Wo schlugen sie das Zelt auf?
6. Was machten sie nach ihrem Mittagessen?
7. Wo verbrachten sie den Abend?
8. Was weckte einen der Jungen auf?
9. Warum mußten sie alles aus dem Zelt tragen?
10. Warum fuhren sie am nächsten Morgen heim?

13. In a Hurry

1. Where did Robert work?
2. Why was he in a hurry?
3. Why was there so much traffic?
4. What time did the train leave?
5. Where did he go in the train, and why?
6. What did he try to do in the train?
7. What was he carrying?
8. What happened at the first station?
9. Why was he continually interrupted?
10. How long did it take him to get from his office to his front door?

---

1. Wo arbeitet Robert?
2. Wie fuhr er zum Bahnhof?
3. Wie lange dauerte die Fahrt zum Bahnhof?
4. Um wieviel Uhr fuhr der Zug ab?
5. Wo mußte Robert stehen?
6. Warum stand er dort?
7. Was versuchte er zu tun?
8. Was machten die Leute, die an ihm vorbeigingen?
9. Um wieviel Uhr kam der Zug in Roberts Heimatort an?
10. Warum konnte er die Haustür nicht öffnen?

14. At the Youth Club

1. How often do the boys go to the Youth Club?
2. Where are their girl-friends this week?
3. How do the boys usually spend their time at the club?
4. Where are the girls who are left and what are they doing?
5. Why does Hans not see the ball?
6. What happened to the ball after the boy kicked it?
7. Why does the music suddenly stop?
8. What happened to one of the girls?
9. How does the boy clean up the room?
10. Where are some pieces of glass?

---

1. Wann besuchen die Jungen den Jugendklub?
2. Wie verbringen sie gewöhnlich den Abend?
3. Warum sind ihre Freundinnen heute Abend nicht dort?
4. Was machen die Jungen an diesem Abend?
5. Was machen die anderen Mädchen, und wo?
6. Wohin fliegt der Ball?
7. Warum hört die Musik auf?
8. Warum hielt Renate sich die Stirn?
9. Womit kehrte der Junge die Scherben zusammen?
10. Wo fanden sie einige Glasstücke?

15. An Unfortunate Lift

1. How long had Dorothea been working?
2. Where had she been during the last three weeks?
3. How did she get to work this morning?
4. What had happened during the night?
5. Where was Dorothea's office?
6. Why didn't the car stop?
7. Describe what happened to the car.
8. What did the policeman do?
9. Why was Frau Hauptmann annoyed?
10. What had happened to their other car?

---

1. Wie lange arbeitet Dorothea?
2. Wo hatte sie ihre Ferien verbracht?
3. Wie fuhr sie zur Arbeit?
4. Wo war ihr Büro?
5. Warum rutschte das Auto?

6. Wo kam das Auto endlich zum Stehen?
7. Wer hatte alles bemerkt?
8. Was machte er?
9. Warum war Frau Hauptmann nicht sehr begeistert?
10. Wo war das andere Auto der Familie Hauptmann?

VOKABELN

This vocabulary covers the Translation and Written Comprehension Sections only. The nominative plural is given after each noun. All strong verbs, and verbs with separable prefixes are followed by their principal parts in parentheses.

der Abhang (-̈e), slope
  abhängig von, dependent on
  abschnallen (schnallte ab,
    abgeschnallt), to switch off
  absteigen (stieg ab,
    abgestiegen), to descend
  achten auf, to be aware of
die Ahnung (-en), idea
  allerlei, all kinds of
der Anblick (-e), sight, view
  anderthalb, one and a half
  ändern, to change, alter
die Angelrute (-n), fishing rod
  angenehm, pleasant
  Angst haben, to be
    frightened
  ängstlich, anxious, worried
  anhalten (hielt an,
    angehalten), to stop
  anknipsen (knipste an,
    angeknipst), to switch on
  ankündigen (kündigte an,
    angekündigt), to
    announce
der Anruf (-e), telephone call
  anstrengend, strenuous
der Anteil (-e), share, part
der Anzug (-̈e), suit
  anzünden (zündete an,
    angezündet), to light

  ärgerlich, annoyed
  atemlos, breathless
  aufbrechen (brach auf,
    aufgebrochen), to start
    off, begin
  aufgeregt, excited
  aufpassen (paßte auf,
    aufgepaßt), to look after
  aufrecht, upright
  aufschließen (schloß auf,
    aufgeschlossen), to open
  auftauchen (tauchte auf,
    aufgetaucht), to emerge
  augenblicklich, at the
    moment
der Ausflug (-̈e), excursion
  im Ausland, abroad
  aussehen (sah aus,
    ausgesehen), to look,
    appear

der Badeanzug (-̈e), bathing
    costume
die Bauchschmerzen (*pl.*),
    stomach ache
  bedauern, to regret
  begleiten, to accompany
das belegte Brot, sandwich
  beliebt, popular

131

beobachten, to observe, watch

bereits, already

berühmt, famous

sich beschäftigen, to be occupied with

Bescheid wissen über, to be in the know about

betreten, to enter

beunruhigt, alarmed

der Beutel (—), bag, purse

bewachen, to guard

bewundern, to admire

bieten (bot, geboten), to offer

das Blei, lead

der Blitz (-e), lightning

blühen, to blossom

bremsen, to brake

brüllen, to roar

der Bube (-n), boy, lad

der Bug (-̈e), bow (of a ship)

der Bürgersteig (-e), pavement

dagegen, on the other hand

daher, therefore

der Dampfer (—), steamer

davonlaufen (lief davon, davongelaufen), to run away from

dazu, in addition

deshalb, therefore

dicht, thick

der Dieb (-e), thief

das Diebsgut (—), stolen goods

der Dienst (-e), service

der Drahtkorb (-̈e), wire basket

drehen, to turn

dringend, pressing, urgent

drinnen, inside

der Duft (-̈e), scent, aroma

die Dunkelheit, darkness

durchnäßt, soaked through

durchsuchen, to search thoroughly

echt, genuine, real

eifrig, zealous, eager

eilig, hastily, hurriedly

der Einbrecher (—), burglar

eindringen (drang ein, eingedrungen), to break in

der Eingang (-̈e), entrance

einhüllen (hüllte ein, eingehüllt), to envelop, surround

der Einkaufswagen (—), shopping trolley

einladen (lud ein, eingeladen), to invite

eintreten (trat ein, eingetreten), to enter

einzig, single, only

die Empfangshalle (-n), reception lounge

das Entsetzen (—), horror, terror

die Enttäuschung (-en), disappointment

Erfolg haben, to be successful

erfreut, pleased

erhalten (erhielt, erhalten), to receive

ermahnen, to admonish, warn

sich erinnern, to remember

die Ernte (-n), harvest

errichten, to erect

erschrocken, shocked, terrified

erstaunt, astonished, surprised

erwarten, to expect

der Fahrgast (-̈e), passenger

das Fahrzeug (-e), vehicle

fangen (fing, gefangen), to catch

die Faust (-̈e), fist

der Fels (-en), rock
die Felswand (-̈e), wall of rock
die Fensterscheibe (-n), window pane
die Ferne (-n), distance
festsetzen, to determine, fix
flackern, to flicker, flare
flimmern, to glimmer, glisten
der Flughafen (-̈), airport
der Flur (-̈e), entrance-hall
die Föhre (-n), fir-tree
im Freien, in the open air, outside
friedlich, peaceful
frieren (fror, gefroren), to freeze
sich freuen auf, to look forward to
der Führer (−), leader
funkeln, to sparkle
sich fürchten, to be frightened
der Fußgänger (−), pedestrian
füttern, to feed
gar nicht, not at all
die Gasse (-n), lane
das Gebäude (-n), building
der Gedanke (-n), thought
geduldig, patient
gefährlich, dangerous
das Gefängnis (-se), prison
die Gegend (-en), district, area
der Gegenstand (-̈e), object
im Gegenteil, on the contrary
gelangen, to succeed
genießen (genoß, genossen), to enjoy
das Geräusch (-e), noise
geschehen (geschah, geschehen), to happen
die Gestalt (-en), shape, figure
das Gewitter (−), storm
gewöhnlich, usual
der Gipfel (−), summit
gleich darauf, immediately

gleiten (glitt, geglitten), to slide
glücklicherweise, fortunately
greifen (griff, gegriffen), to seize
großartig, splendid

der Hals (-̈e), neck
die Halskette (-n), necklace
die Haltestelle (-n), stopping place
der Hase (-n), hare
der Haufen (−), heap, pile
die Hecke (-n), hedge
die Heide (-n), moor, heath
die Heimatstadt (-̈e), home-town
der Herrensitz (-e), manor
herrschen, to prevail
der Heuschober (−), haystack
hoffentlich, it is to be hoped
die Höhe (-n), height
die Höhle (-n), cave
holen, to fetch, collect
der Hörer (−), earpiece (of telephone)
der Hügel (−), hill
husten, to cough

der Imbiß (-e), snack
die Innenstadt (-̈e), town centre
das Innere, inside
inzwischen, in the meantime, meanwhile

jagen, to chase
jedoch, however, yet
jemand, someone, somebody

der Käfig (-e), cage
kahl, bleak, bald
der Kamin (-e), chimney
die Kasse (-n), till
die Kette (-n), chain
das Kissen (−), pillow, cushion

die **Kiste** (-n), box, chest
klopfen, to knock
knurren, to growl, snarl
der **Kochtopf** (-̈e), saucepan
der **Kofferraum** (-̈e), boot (of car)
köstlich, delicious
die **Krankenbahre** (-n), stretcher
kriechen (**kroch, gekrochen**), to creep

der **Ladentisch** (-n), counter
die **Lage** (-n), position
langweilig, boring
der **Lastwagen** (−), lorry
die **Laune** (-n), temper, humour
lautlos, silently
lebendig, lively
das **Lebensmittel**, food, provisions
sich **lehnen**, to lean, recline
der **Lehnstuhl** (-̈e), armchair
leider, unfortunately
leiten, to lead
das **Loch** (-̈er), hole
löschen, to extinguish
losgehen (**ging los, losgegangen**), to leave
der **Löwe** (-n), lion

malen, to paint
manchmal, sometimes
mehrmals, several times
merkwürdig, remarkable
mieten, to hire
das **Möbel** (−), furniture
möglich, possible
Mut fassen, to pluck up courage

nachdenken (**dachte nach, nachgedacht**), to consider
der **Nadelbaum** (-̈e), conifer
nagelneu, brand-new

die **Nähe** (-n), nearness, proximity
naß, wet
der **Nebel**, fog
niesen, to sneeze
nötig, necessary

oben, upstairs, above
ohnmächtig, unconscious
der **Ort** (-e), place, spot

der **Pappkarton** (-s), cardboard box
plätschern, to splash
plaudern, to chatter
prima, excellent, first class

quietschen, to squeak

der **Rand** (-̈er), edge
rascheln, to rustle
das **Rathaus** (-̈er), town-hall
reden, to speak
reglos, motionless
reiben (**rieb, gerieben**), to rub
riesengroß, gigantic, enormous
ringsum, around
rostig, rusty
rudern, to row (a boat)
die **Rundfahrt** (-en), round trip
rutschen, to slip, slide

die **Sache** (-n), thing, affair
sanft, soft
die **Schachtel** (-n), box
der **Schäfer**, shepherd
der **Schatten** (−), shadow
schauen, to look
schaukeln, to bob about
die **Scheune** (-n), barn
schieben (**schob, geschoben**), to push
schlendern, to stroll

schließlich, finally
Schlange stehen (stand, gestanden), to queue
der Schlitten (−), sledge, sleigh
schmal, narrow
der Schmerz (-en), pain
der Schmuck (−), jewellery
der Schuppen (−), shed
schütten, to spill, pour out
schweben, to hover
sehenswert, worth seeing
die Sehenswürdigkeit (-en), object of interest
die Seilbahn (-en), cable-car
seltsam, strange
senken, to sink
seufzen, to sigh
sicher, certain, sure
die Sicht, sight
sichtbar, visible
der Sitzgurt (-̈e), seat-belt
der Spaß (-̈e), joke, fun
die Sperre (-n), obstruction, barrier
spuken, to haunt
die Spur (-en), track, trail
stattfinden (fand statt, stattgefunden), to take place
staunend, astonishing
die Stelle (-n), place, spot
stöhnen, to groan
stolpern, to stumble
stoßen (stieß, gestoßen), to push
strahlen, to shine, beam
der Streich (-e), trick, joke
der Streifenwagen (−), police patrol car
streng, severe, strict
stürzen, to dash, to tumble

die Tapete (-n), wallpaper
tatsächlich, in fact
der Teil (-e), part

der Tod (-e), death
das Tor (-e), gate
die Träne (-n), tear
die Traube (-n), bunch of grapes
treffen (traf, getroffen), to meet
treiben (trieb, getrieben), to drive
trösten, to comfort
sich tummeln, to tumble about

übermorgen, the day after tomorrow
übrig, left over
das Ufer (−), bank of river
umarmen, to embrace
sich umdrehen (drehte sich um, sich umgedreht), to turn round
umgeben (umgab, umgeben), to surround
die Umgebung (-en), surroundings, neighbourhood
umsonst, in vain
unartig, naughty
das Unkraut, weed, weeds
der Unsinn, nonsense
unterbrechen (unterbrach, unterbrochen), to interrupt
die Unterhaltung (-en), conversation
der Unterricht, lessons, instruction
unverschämt, impudent
der Urlaub, holidays

verängstigt, scared, nervous
verbergen (verbarg, verborgen), to conceal
verbringen (verbrachte, verbracht), to spend (time)

verhaften, to arrest

die Verkäuferin (-nen), saleswoman

der Verkehr, traffic

verletzen, to harm

der Vermieter (−), hirer

verschieden, different, various

verschwinden (verschwand, verschwunden), to disappear

das Versteck (spiel), hide and seek

vertraut, familiar

völlig, completely

vorschlagen (schlug vor, vorgeschlagen), to suggest

die Wählerscheibe (-n), dial (of telephone)

die Wagenfähre (-n), ferry

wanken, to totter, stagger

wenigstens, at least

das Werkzeug (-e), tool, implement

wickeln, to wind, wrap

winken, to wave, nod

zahlreich, numerous

zerbrechen (zerbrach, zerbrochen), to break to pieces

zerlumpt, ragged

zerrissen, torn

das Ziel (-e), goal, limit, objective

zittern, to tremble

der Zoll (-̈e), customs

zornig, angry

zunächst, firstly

zurückkehren (kehrte zurück, zurückgekehrt), to return

zuschlagen (schlug zu, zugeschlagen), to slam

der Zweig (-e), branch, twig